MAX
NII-NO
NII-NO

DRAGON BOY

La frase citada en las páginas 54, 179, 188 y 221 pertenece a *Matar a un ruiseñor,* de Harper Lee.

Texto de Guido Sgardoli.
Cubierta original e ilustraciones de Enrico Macchiavello.

Título original: *Dragon Boy.*
© traducción al castellano de Marinella Terzi.

Paseo de San Juan Bosco, 62
08017 Barcelona
www.edebe.com

Atención al cliente 902 44 44 41
contacta@edebe.net

Directora de Publicaciones: Reina Duarte
Editora de Literatura Infantil: Elena Valencia

Primera edición, septiembre 2017

ISBN 978-84-683-3139-3
Depósito Legal: B. 14165-2017
Impreso en España – *Printed in Spain*
EGS – Rosario, 2 – Barcelona

Guido Sgardoli

Dragon Boy

Con ilustraciones de

Enrico Macchiavello

edebé

LA PRIMERA COSA QUE SE ME OCURRE es que no hay nada que se me ocurra.

Otra cosa que se me ocurre es que, cuando escribes un diario y después armas un buen lío, tus padres o los policías leen tu DIARIO enseguida.

Le he dicho a DOMI que no quería un diario, pero ella ya lo había comprado y me ha respondido que era una cosa completamente mía y que yo decidía qué escribir o ***SI*** escribir algo.

—Puedes tenerlo y basta, sin anotar ni una palabra —ha dicho.

Pero, me pregunto, ¿qué sentido tiene un diario si lo dejas con todas las páginas en blanco?

—Puedes hacer dibujos —me ha dicho.

En ese caso, los policías se darán cuenta de que no sé dibujar (mis padres ya lo saben, pero cuando hago un dibujo dicen «qué bonito» para que no me deprima).

Se me ha ocurrido que podría escribir cosas del colegio, que es lo que ocupa la mitad de mi jornada. Aquí van LOS PUNTOS PRINCIPALES.

1) Llego al colegio acompañado por el chófer de papá, Goffredo. Goffredo lleva una gorra con visera como todos los chóferes, guantes blancos de chófer y tiene cara de chófer.

2) El coche es un supercochazo con los cristales tintados para que nadie sepa lo que hago dentro.

3) Cuando me apeo frente a la entrada, alguno de mis amigos ya me está esperando. Chocamos las manos y subimos los escalones, contándonos cosas que nos hacen troncharnos de la risa.

4) Mientras entro, una chica guapa me echa un vistazo. A las chicas guapas no hay que hacerles ni caso, simular que no estás interesado y luego, cuando parece que has pasado sin fijarte en ellas, mirarlas durante un instante, con media

sonrisa, así saben que las has visto. Ahora mismo no estoy con ninguna, por propia elección, porque si no estoy con ninguna puedo elegirlas a TODAS.

5) En mi colegio, como en todos los colegios, hay bullying. El director y los profesores nos han puesto la cabeza como un bombo con el bullying. Y no ha valido de nada porque los acosadores hacen bullying desde que el mundo es mundo. Solo que conmigo no funciona. Una vez puse a un par en su lugar, yo solo, a dos que estaban molestando a un pringado, pobre, que no sabía defenderse. Uno de los dos era el Gigante. Lo llaman así porque es realmente gigantesco. Y ya tiene barba. Creo que lleva repitiendo seis o siete años. Cuando el Gigante te mira, parece que te quiera deshacer en pedacitos. El caso es que desde que le di una buena lección, el Gigante aprendió que es mejor mantenerse lejos de mí y ahora, cuando me lo cruzo, él cambia de acera y simula no haberme visto. Los que son amigos míos no tienen nada que temer de los acosadores.

6) Como estudiante soy mejor que la media, en el sentido de que me gusta estudiar y saco buenas notas. Hago mucho deporte y los resultados se ven porque en gimnasia puedo con todos. Conseguí incluso una medalla. De verdad, no la gana nadie. Además de por poner al Gigante en su lugar, en el colegio soy muy popular por otra cosa. Una vez se incendió la caldera, o algo parecido, había humo por todas partes. La alarma sonaba sin parar y los profesores gritaban:

¡CALMA! ¡CALMA!

Pero ellos eran los primeros que no tenían pinta de estar nada calmados. Yo me hice con la situación y conduje a mi clase (con la profe incluida) a través del humo hasta la salida.

Luego, regresé para salvar a todos los demás. Cuando el incendio estuvo dominado, el jefe de bomberos vino a estrecharme la mano y el director me regaló una tarjeta en nombre de todo el colegio. Y acabé saliendo en el periódico.

7) Me llamo MAX Stanghelli.

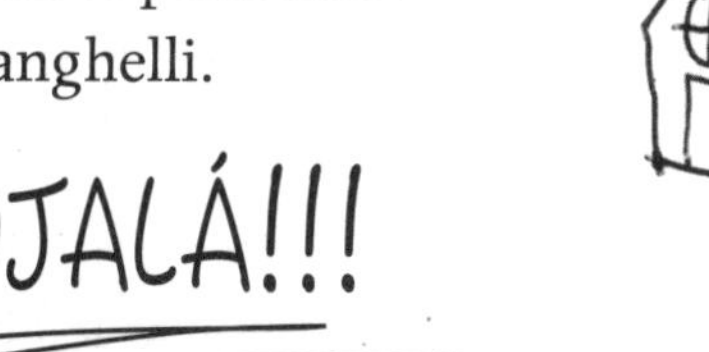

LA VERDAD ES DISTINTA. Prefiero admitirlo porque, si los policías leen un día este diario, quisiera que no pensaran de mí que soy un fanfarrón.

Por eso, empecemos de nuevo:

1) Mi padre no tiene chófer ni un supercochazo, solo un viejo coche familiar al que cuando le toca subir una cuesta suelta un humo negro por el tubo de escape que parece que sea de noche. «Es como un aerosol», dice mi madre cuando papá adelanta a un ciclista y descarga el humo sobre él, acelerando.

2) Al colegio voy con el autobús número 12 que pasa cerca de casa y me deja delante del cole.

3) Amigos no tengo muchos. O sea, tenía alguno cuando iba a primaria, pero ahora que estoy en secundaria mis compañeros son todos nuevos. Todos salvo Marietto, al que continúo llamando Marietto aunque ahora pese doscientos kilos. Y Marietto nunca fue amigo mío cuando estábamos juntos en primaria.

4) Acosadores y chicas. Tendrían que intercambiarse los papeles. Me gustaría ser invisible para los acosadores y atractivo para las chicas. Sin embargo, las chicas no me ven ni por asomo y parece que atraigo a los acosadores como la caca de un perro a las moscas. Nunca he besado a una chica. Pero, para estar preparado cuando llegue el momento, de vez en cuando me ejercito besándome la mano. Me pinto en el dorso unos labios con el pintalabios de mi madre y luego los beso. Es un poco triste, lo admito, pero por el momento «esto es lo que hay», como dice mi madre cuando me pone bajo la nariz un plato de la comida que no me gusta. Y a propósito de acosadores, cuando el Gigante se me pone al lado me siento diminuto. A veces me dice algo y sanseacabó. Otras, me amenaza con un dedo que es como un TALADRO. Al Gigante y a otros dos, Alberti y De Vitis, que también van a secundaria, les doy el bocadillo y a veces unas monedas, si me las piden, porque así me dejan en paz. ¿Qué otra cosa puedo hacer? No soporto el dolor físico.

5) En matemáticas, historia, geografía y dibujo voy bastante MAL. En gimnasia, todavía peor, porque por

culpa de las gafas y de un problema en las piernas que sufro desde que nací, el profesor Accardi me ha excluido de la mayor parte de las actividades. De todas formas, cuando puedo jugar, a voleibol por ejemplo, soy siempre el último a quien elige el capitán, porque nadie me quiere en el equipo. Los comentarios son del estilo «Nooo, ¡con él perdemos!».

6) El único deporte que practico es la natación. Pero la natación no es un deporte, ¡¡¡es un ABURRIMIENTO monstruoso!!!

7) El único incendio que he visto en mi vida fue cuando me quemé el pelo por error, el año pasado, encendiendo las velas en la iglesia. El sacerdote me metió la cabeza en la pila del agua bendita y ningún periódico se ocupó del asunto.

8) Lo único cierto es que me llamo Max Stanghelli.

QUÉ ESCRIBIR EN EL DIARIO

En un diario hay que escribir las cosas que le suceden al propietario del diario, que en este caso soy YO.

A mí me suceden muchas cosas, tantas que no sé cuáles escribir.

Empiezo por esta. Esta tarde voy al dentista con mamá. Espero que no me haga daño. El dentista, no mamá.

La cita es a las **16:30** y me llevaré un cómic para leer mientras espero. Las revistas que tienen los médicos son feas y aburridas, ~~aunque una vez encontré en una a una mujer desnuda, completamente desnuda, y para evitar que mi madre me descubriera, me coloqué inclinado hacia la pared y me tapé la cara con la bufanda a pesar de que tenía un calor horroroso porque me puse como un tomate.~~

He decidido que en el diario no debo escribir necesariamente todo lo que me pasa.

En un DIARIO se escriben sobre todo los pensamientos. También los que no quieres que nadie sepa. Ni tus padres.

El diario hay que guardarlo en un sitio

¡SUPERSECRETO!

¡¡¡EL DENTISTA VA A PONERME APARATOS!!!

MONSTRUO

Mamá ha dicho que es importante cuidar los dientes incluso de joven. Tía Ester no lo hizo y a los cincuenta años ya llevaba dentadura postiza.

¡Qué me importa la tía Ester! O sea, no lo he dicho delante de mamá, pero lo escribo aquí, en el diario, así si armo algún lío gordo, mi familia leerá lo que pienso realmente de tía Ester.

Y, además, no me creo que la tía llevara dentadura postiza a los cincuenta. Apuesto algo a que mamá lo dice a propósito para convencerme.

¡¡¡APARATOS!!!

Ese espanto hecho de acero y tornillos que te da aspecto de haber masticado un rollo de aluminio y que se te hayan quedado trozos entre los dientes. En clase, en primaria, había un niño con aparatos. Cuando comía, en el comedor, y luego abría la boca, tenía trozos de carne o de espinacas pegados a los dientes y todos le tomaban el pelo. Entonces él se los quitaba con los dedos. ¡¡¡ASCO INTERESTELAR!!!

Mis compañeros se estrujarán la cabeza para buscarme un apodo nuevo, lo sé, lo presiento.

Algunos me llaman *Andy*. Que no es un diminutivo de *Andrew* (visto que me llamo Max), sino de *hándicap*.

DEL DICCIONARIO QUE ESTÁ EN LA LIBRERÍA de mi cuarto.

> **Hándicap:** *m. Dep. En hípica y en algunos otros deportes, competición en la que se imponen desventajas a los mejores participantes para igualar las posibilidades de todos.*

No he entendido nada.
??????????????

¿Qué ocurre? ¿Qué tienen que ver la hípica y los deportes? Desde mi punto de vista, *hándicap* es aquel que quiere ser como los demás y no lo es.

Algunas simpáticas diversiones de mis compañeros de clase (no de todos, solo de algunos, o sea los habituales: Ronchese, Paolini, Serracchiani, Labranca y Nerini, o sea los imbéciles):

1. Ponerme la zancadilla.
2. Meterme chinchetas en la mochila.
3. Soplarme las migas de los bollos y los bocadillos en la cara.
4. Escupirme en la cabeza.
5. Salpicarme de agua si me cruzo con ellos por casualidad en el lavabo.
6. Encerrarme en el lavabo si por casualidad estoy haciendo pis.
7. Una vez me untaron de miel el pupitre.

El mes pasado me invitaron a una fiesta de cumpleaños. En realidad, me invitó Sara, la menos maja de las chicas de la clase (puedo decirlo porque Sara no leerá este diario

JAMÁS). El cumpleaños no era de Sara, sino de una tal Nosequé Fabiani, una de sus amigas. Los otros no querían que ella me invitara y, cuando me lo pidió, estuve a punto de decir que no. Pero Sara dijo que no debía decir que NO solo porque los demás fueran unos imbéciles, y acabé yendo. Como todos tenían problemas y nadie podía pasar a buscarme (o quería pasar a buscarme), Paolini me dio la dirección.

—Es aquí —me dijo tendiéndome un trozo de papel garabateado.

—Gracias.

De regalo llevaba un libro que había elegido mi madre. Le di la hoja de Paolini a mamá y ella me acompañó en el coche. Me daba un poco de vergüenza ir con ella, pero estaba lejos y yo no voy en bici por culpa de las piernas (una vez lo intenté, con una bici con ruedines, pero como el pie derecho se me tuerce hacia dentro, metí siete veces la punta del zapato en los radios de la rueda y al final el zapato estaba para tirarlo y yo tenía la uña del pulgar toda negra, así que nada de bici. Y, además, alguien de mi edad que va en una bici con ruedines tiene pinta de ser un impedido y, encima, ¿dónde pongo la muleta en la bici?).

Cuando llegamos a la dirección del papel, en vez de un edificio o de un chalé decorado con globos y un letrero que pusiera: «¡La fiesta es aquí!», había una especie de fábrica y un silencio sepulcral.

Mamá se bajó y, al volver, dijo:

—Aquí no hay ninguna fiesta de cumpleaños, no vive nadie.

Entonces quisimos preguntar a los que pasaban, pero nadie había oído hablar jamás de la familia FABIANI. Estuvimos casi una hora dando vueltas por allí, pero nada. Al final, regresamos a casa.

Mamá seguía diciendo que tal vez habían escrito mal la dirección, pero cuando al día siguiente entré en clase, Paolini me miró riéndose y los demás se me acercaron poniendo caras raras y diciendo:

–¡Eh, Andy! ¿Por qué no viniste ayer? ¡Te perdiste una fiesta **ESTRATOSFÉRICA**!

–Sí, ¡mítica!

LA SECUNDARIA ES MUY DISTINTA a la primaria. Muy distinta.

No me refiero a que

① haya distintas asignaturas y que cada lección dure casi cincuenta minutos y que

② haya profesores y profesoras en lugar de maestros y maestras.

No. O sea, estas cosas también son distintas, pero no son las cosas a las que me refería.

Lo que quería decir es que, cuando estaba en los primeros cursos, nadie hacía mucho caso de mis problemas

. . .

O sea, de cómo soy. Estaban acostumbrados a verme así, y ni siquiera yo hacía mucho caso. Porque desde dentro tú no ves para nada cómo eres y te parece que eres igual a los demás.

Ahora, en cambio, todo es nuevo porque mis compañeros

son NUEVOS y los profesores también son NUEVOS, y son NUEVOS los ojos que me miran. Y así yo también me siento NUEVO, distinto a como era antes.

Es como empezar desde el principio, como si lo primero no hubiera existido.

Ojos que siempre te están mirando, y cuando los siento encima quisiera irme, desaparecer, volverme INVISIBLE. En cambio, me quedo, me pongo rojo y miro al suelo, al libro o al pupitre, o a mis estúpidas piernas torcidas que parece que también me miran y me dicen:

«¡¡¡¿¿¿QUÉ DEMONIOS TIENES QUE MIRAR???!!!».

ESTÁBAMOS HACIENDO UN TRABAJO de ciencias, en clase, divididos por grupos, y había un gran silencio porque todos estábamos concentrados, trabajando. En esas, Ronchese, Serracchiani y Nerini se han puesto a hablar entre ellos como a través de un cristal, moviendo solo los labios, y yo, que llevo un aparato acústico, he comprobado que estuviera encendido. Mi aparato acústico se llama «implante coclear» y es una cosa bastante moderna, porque está conectado directamente al cerebro, es casi como si tuviera una oreja biónica.

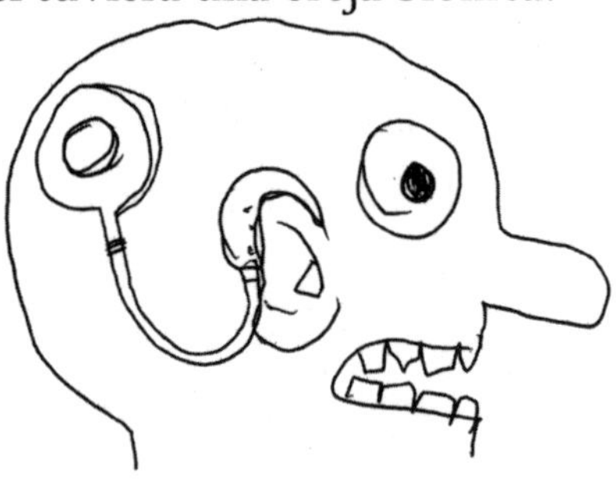

Pero incluso con el aparato encendido no conseguía oír sus voces, lo que es imposible porque yo no soy sordo, o sea, oigo poco, pero no soy SORDO. Como el resto de la clase estaba concentrado en el trabajo, nadie hablaba y me he quitado el aparato pensando que se habría roto o quién sabe qué, y le he dado unos golpecitos. Luego me lo he vuelto a poner, pero nada. Me he pegado un susto, porque he pensado que si no era culpa del aparato tal vez hubiera perdido el poco oído que tenía. Entonces he ido a la mesa de la profesora Nicolini y le he gritado a la cara:

—¡PROFE! ¡NO OIGO NADA, PROFE!

Ella ha pegado un bote en la silla y me ha dicho:

—¿Por qué estás gritando, Stanghelli?

Así he comprendido que el aparato funcionaba perfectamente. De hecho, los de mi grupo se estaban muriendo de la risa.

—Qué fuerte —les he dicho cuando he vuelto a sentarme. Les he dicho eso solo porque no quería que pensaran que me había sentado mal, y hasta he sonreído. He pillado a Marietto riéndose, con su tripa blanda que subía y bajaba. Él, por lo menos, se podría ahorrar las risitas, digo yo.

¡¡¡Y, encima, tengo que ir otra vez al dentista!!!

¿Por qué la vida es tan asquerosa?

TRAS UNAS 30 HORAS 30 DE SUFRIMIENTO, voy con un kilo y medio de hierro en la boca. El dentista estaba contentísimo. «Listo», ha dicho sonriendo. «Ahora, cuando pases por debajo de un arco detector de metales, ¡DIRECTO A LA CÁRCEL, como poco!».

Mamá también ha sonreído.

Y por si no fuera suficiente tanto hierro, pasa que, como tengo los dientes que van para un lado y la mandíbula para el otro, mi aparato es especial (¡qué suerte!), lleno de gomas que me tiran de la boca de través.

—Pero ¿y si una de estas gomas se rompe mientras duermo y termina en mi garganta? —le he preguntado al dentista.

Él me ha mirado como si hubiera hecho la pregunta más TONTA del universo conocido (y también desconocido), y probablemente para él era desde luego la pregunta más

TONTA de todo el universo, porque ha suspirado, ha levantado los ojos al cielo como diciendo: «Vaya pregunta TONTA que me hace este ahora», ha esbozado una sonrisita dirigida a mamá, como para decirle: «Lo siento por usted, señora, que tiene un hijo TONTO», y ha respondido:

– Son elásticos especiales, para aparatos especiales. No se rompen. ¿Lo entiendes, niño?

En casa me he pasado casi una hora delante del espejo del baño mirándome las gomas del fondo de la boca. Para los policías que a lo mejor lean mi diario algún día:

Si muero ahogado por una goma, es culpa del dentista. Tiene la consulta más alla del centro comercial, cerca de una heladería. Y ni siquiera nos ha hecho un recibo.

HE IDO AL COLEGIO con el aparato nuevo.

No he abierto la boca por miedo a que vieran todos los hierros y los alambres que tengo dentro. Cuando alguien me preguntaba algo, yo respondía sin abrir los labios y no se entendía nada.

MMMMMMMMMMMMMMMM

La profe Nicolini me ha preguntado, pero mis respuestas no se entendían. Así que me ha dicho que dejara de hacerme el gracioso y si me había tragado un tubo de pegamento.

He respondido MMMMM y ella me ha puesto un 4.

De todas formas, no había estudiado porque estuve toda la tarde en el dentista.

HAY VECES QUE, CUANDO PIENSAS intensamente en una cosa porque no quieres que pase de ninguna de las maneras, termina pasando de verdad.

Tipo, imagina que una noche ponen una peli de esas que no quieres perderte por nada del mundo (¿qué sé yo?, algo de Steven Seagal, que me pirra cuando la emprende a puñetazos y se rompe las muñecas o clava un tenedor de pasta en una pierna sin cambiar de expresión), o te han regalado un nuevo juego para tu consola, o que te hayas pasado ***30 horas 30*** sentado en el sillón de un dentista cruel. En resumen, imagina que por alguna cuestión importantísima no has podido hacer ese insulso problema de matemáticas o acabar ese aburridísimo tema de historia. Te vas al colegio a la mañana siguiente con sensación de haberte tragado un plátano entero, de no haber hecho lo que debías y, cuando el profe de matemáticas o de literatura o de lo-que-no-has-estudiado entra en clase, tienes la mirada baja, clavada en el pupitre, y los hombros caídos, los pies uno sobre otro y las manos ocultas bajo los muslos y piensas, más bien suplicas:

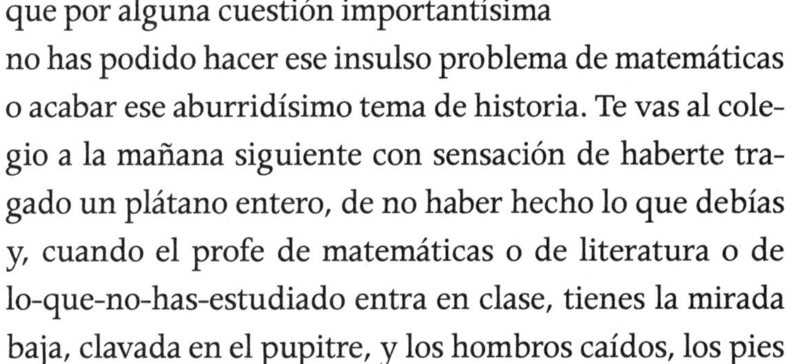

Explica explica explica explica explica explica explica explica explica explica explica explica.

Sin embargo, el profe dice:

–Hoy voy a preguntar, veremos si habéis estudiado.

Entonces tú te vuelves todavía más pequeño, que si

pudieras desaparecerías debajo de la silla, y finges hallar un terrible interés en el borde de plástico que rodea tu pupitre y, mientras, piensas: «A mí no, a mí no, a mí no, a mí no, llama a la Conte, que es una empollona y mira siempre a los ojos del profe con la esperanza de que le pregunte, llama a Ronchese, que es tan ignorante como una mosca y a lo mejor nos reímos un rato, llama a Capanna, pobre, que tartamudea y tarda una hora en decir algo y a lo mejor estamos así hasta que suene el timbre, pero

¡NO ME LLAMES A MÍ!

Y, en cambio, de todos, el profe elige justamente tu nombre. Y mientras piensas: «Por lo menos, no me preguntes eso que no me sé», el profe te pregunta **PRECISAMENTE** eso que no te sabes, que parece que te haya leído el pensamiento, ¡nos ha fastidiado!

«Si quieres algo lo conseguirás», decía uno. No lo tengo tan claro.

Pero también es cierto que a veces, cuando piensas intensamente en algo porque QUIERES que pase, NO pasa ni aunque te pongas a llorar en turco (mi madre lo dice siempre «ni aunque te pongas a llorar en turco», pero nunca he comprendido cómo diablos se llora en turco). Estilo:

1. Ganar la lotería.

2. Que te inviten a una fiesta.

3. Que la piscina cierre porque hay un agujero en el fondo o una invasión de renacuajos y suspendan el curso de natación.

4. Que al Gigante y a Alberti, De Vitis, Ronchese, Serracchiani, Labranca, Nerini y Paolini les dé un ataque

fulminante de varicela, sarampión, escarlatina, paperas y diarrea, todo junto, y se pasen el resto del curso en la cama.

5. Oír sin aparato, ver sin gafas, caminar sin muleta, no tener necesidad de ir al dentista, todo junto.

6. Que tu hermana preferida regrese a casa.

HOY, EN EL COLEGIO, he tenido que abrir la boca. (No podía estar todo el resto del curso en silencio, ¿no?).

La primera que me ha visto ha sido Sara, la fea. Me ha sonreído y enseguida me ha dicho que a ella también le tienen que poner aparatos. No creo que dijera la verdad. A lo mejor solo quería consolarme. El caso es que a mí no me importa, porque detrás de ella estaban Paolini y Labranca, que se han puesto a reír de inmediato. Luego han llamado a los demás para que vinieran a ver, porque uno de ellos me había puesto una mano de cemento sobre los dientes. Después se han partido de la risa con chistecitos tan ingeniosos como ellos, tipo:

1. ¿Qué dentífrico usas? ¿Dentihierros?
2. ¿Por qué tienes un espejito en la boca?
3. ¿Has comido alambre de espino?
4. ¿Te has comido papel de plata?
5. En vez de dentífrico, usas Abrillantametales.
6. Si pasas cerca de un imán, acabas pegado.

Al rato lo han dejado estar.

Por lo menos hasta mañana.

Y, por suerte, no saben nada de las gomas.

HOY ESCRIBO DE LA NATACIÓN.

Mis padres me obligaron a hacer natación porque dicen que viene bien para la salud y, como yo tengo algunos problemas con mi salud, la natación es precisamente el deporte que me va que ni pintado. Dicen ellos.

La natación consiste en ir hacia delante y hacia atrás y, de vez en cuando, mirar si el monitor de natación te está haciendo gestos para que cambies. No puedo meter el aparato acústico en el agua, así que en el vestuario me lo quito y lo guardo en una cajita. De esa manera me queda solo el oído bueno y, entre el agua que me entra en los oídos, el gorro y el ruido, no oigo nada y el monitor ya puede desgañitarse todo lo que le parezca, pero si no le miro no le oigo.

El problema es que, además, tengo hipermetropía (en la práctica, sin gafas no veo tres en un burro) y por eso llevo una máscara de submarinismo con gafas graduadas. Soy el único en la piscina con ese artefacto, y algunas veces los que no me han visto antes se ríen.

Bueno, en resumen, la natación es:

1. Ir adelante y atrás.
2. Chocarse contra las corcheras que delimitan las calles.
3. Tragar agua que sabe a cloro y toser.
4. Que te entre frío cuando sales del agua (algunas veces los labios se te ponen azules).
5. Tener la piel de los dedos llena de arruguitas.
6. Ponerte un gorro de silicona que te tira del pelo.
7. Encontrar una tirita que flota.

Eso es la natación para mí.

Lo único bueno es el momento de la ducha. Me estaría debajo del agua caliente por lo menos diez horas seguidas, si pudiera. Sin embargo, tengo que darme prisa porque mamá me espera en el vestuario y si no corro mete la cabeza dentro de la ducha para preguntarme si he terminado ya.

–No puedes nadar SIEMPRE de espaldas –me repite el monitor de natación, que se llama Roberto aunque yo le he apodado «Joroberto», porque se pasa la clase entera jorobándome–. Tienes que practicar también los otros estilos.

Cuando hago estilo libre, siempre hay alguien que me mira con cara rara, porque tengo un defecto en la columna vertebral y si nado crol se nota. Es una especie de cresta hecha de huesecitos, una cadena montañosa que me recorre desde el cuello hasta casi el trasero.

Prefiero nadar de espalda, así nadie pone caras raras o dice: «Mira lo que tiene ese», a menos que en el fondo de la piscina no haya un submarinista, pero es bastante improbable que en el fondo de la piscina haya un submarinista. En el vestuario o bajo la ducha estoy siempre con la espalda hacia la pared, así nadie se da cuenta. Problema resuelto.

Una vez, en el gimnasio del colegio, Ronchese me vio sin la camiseta y, señalando mi espalda, les dijo a los demás:

–¡Qué asco!

Yo hice ver que no le oía.

EL FIN DE SEMANA vino Domi.

Domitilla es una de mis hermanas. Es mi hermana preferida.

Empezó la universidad en octubre, poco después de que yo empezara la secundaria. Estudia DAMS (que significa Disciplinas de las Artes, de la Música y del Espectáculo). ¡Me costó un buen rato aprendérmelo de memoria! Es una especie de academia artística, pero en otra ciudad a 100 horas 100 en tren desde aquí. Por eso, Domi vive allí, de lunes a viernes.

Tengo otra hermana, mayor, Carolina. Ella está casada y tiene su propia casa. También tiene un marido que se llama Giorgio y trabaja de pintor, y un niño pequeño de meses, que tiene el tamaño más o menos de mi viejo Tiranosaurio Rex. Así me convertí en **TÍO**, aunque solo tenga doce años, que para algunas cosas es bastante, pero para ser tío es poco.

El caso es que, cuando Domi regresa a casa, es maravilloso porque me parece que todo es como antes, como en los tiempos en que todavía no estudiaba en la universidad. Cuando Domi está en casa, la llena. Siempre está hablando y sonriendo. Hace cosas raras, como cantar o bailar o tocar la guitarra. Y tiene un olor estupendo. A veces noto que ha estado en un cuarto porque ha dejado su perfume. Pero ¿por qué no hacen las universidades cerca de casa? Así uno no tendría que irse nunca.

Yo, cuando sea mayor, no quiero ir a la universidad. Me quedaré en casa para siempre.

En cuanto Domi llegó, le mostré el diario, pero solo por

fuera, aunque me lo hubiese regalado ella. Un diario es secreto (salvo cuando armas un lío gordo, que entonces lo leen los policías y los padres, o si te mueres y ya te habías hecho famoso, entonces hacen un libro basado en tus recuerdos). Ella me dijo:

—¡Bravo! ¡Has comenzado a escribir!

—Sí —respondí.

Luego me preguntó si tenía ganas de ir al cine, ella y yo.

Domi es así. No es de esas hermanas MAYORES que resoplan si tienen que quedarse con su hermano *pequeño*. Qué va, es ella la que me pregunta si quiero hacer cosas juntos. Le gustan mucho los dibujos animados y, cuando era pequeño, los veíamos siempre juntos. A veces jugamos a las cartas o al Monopoly, o me lleva a ver una exposición de cuadros o de fotografías (que no me interesan mucho, pero me gusta estar con ella y voy).

Fuimos a ver una peli de superhéroes, en 3D.

De pronto, me entró un miedo horroroso porque un monstruo saltó prácticamente fuera de la pantalla y se me cayó el aparato acústico en las palomitas. Cuando me lo puse de nuevo, estaba tan grasiento que me pringó la oreja.

PARA RECORDAR: ¡¡¡LAS PALOMITAS SE
MEGAPEGAN
EN EL APARATO DE DIENTES!!!

¡IMPORTANTE!

De vuelta, Domi preparó mi postre preferido, que ¡¡¡se llama *Elpostredemax* precisamente porque es mi favorito!!! Elpostredemax está hecho de chocolate, crema y galletas viejas, de esas que están correosas y ya no se pueden masticar.

Mientras estaba en el cine con Domi y veía la peli, me vino a la cabeza el día en que fui al cine con la clase, hace cosa de un mes. Esa vez fuimos a ver un documental de la guerra, con el profe de historia, Savino, una de esas personas que tiene pinta de estar aburrida permanentemente. Antes de entrar, me bebí una Coca-Cola para soltar eructos como los demás, porque es una cosa realmente divertida. Pero, luego, al principio de la peli, se me escapaba el pis y le pregunté al profesor si podía ir al lavabo.

–¿Ahora precisamente? –dijo él de mal humor.

–No me aguanto, profe –respondí yo.

–Uff –dijo él.

Cuando iba a salir del baño, no conseguía abrir la puerta, y me puse un poco nervioso y se me cayó el aparato al VÁTER.

Tenía que recuperarlo, aunque me daba un asco tremendo, así que lo cogí. Pero ya no funcionaba. Como me daba vergüenza ponerme a golpear la puerta o a gritar, esperé, sentado en la taza como cuando no tienes ganas, hasta que el profe, unas seis horas después, me abrió. Dijo algo, pero yo no conseguí oírlo. Solo sé que estaba más molesto que de costumbre. Luego llegó el del cine y también dijo algo, y por su cara no debía de estar muy contento él tampoco porque para recoger el aparato sin ensuciarme las manos había usado todo el papel higiénico y lo había tirado en el váter, que ahora estaba atascado. Cuando regresé a la sala, se estaba terminando la película y los otros se rieron de mí. Tenía los zapatos y el borde del pantalón empapados, como si me hubiera hecho pis encima. Y estoy convencido de que eso fue lo que pensó la mayor parte de mis compañeros.

Vi el último trozo de la peli sin oír casi nada, como si fuera una de esas antiguas, mudas, como las cómicas, pero sin ni siquiera esa musiquilla simpática. Y, mientras, Nerini me eructaba encima (Nerini es un maestro del eructo, no hay nadie que lo supere).

Por la tarde me tocó hacer el resumen del documental, pero como no lo había visto escribí solo el principio y el final. Y Savino me puso un 4.

–Así aprendes a no ir al lavabo en el momento menos oportuno –me dijo.

A VECES PIENSO que me gustaría ser invisible.

Pasar entre la gente, mirarla sin ser visto, deslizarme por aquí y por allá. Invisible como el hombre invisible de la peli. Gastar un montón de bromas sin ser descubierto, armar una gorda y pasar inadvertido. Sí, sé que no tendría que decirlo, sobre todo si un día los policías leen este diario, pero yo **NO** he dicho que haya hecho algo malo a alguien, solo que si fuera invisible, ojalá pudiera ser, o tal vez no, *podría* gastarle una buena broma a alguien.

De todas formas, no es para gastar bromas a la gente o para robar por lo que quiero ser invisible. Solo querría que los demás no me viesen. Porque a veces, cuando me ven, no me gusta.

Ser invisible se puede. En clase había un invisible, en primaria. Estuvo un año y luego desapareció. Se llamaba Egidio y del apellido no me acuerdo. Egidio era invisible, o sea, lo veías sentado en el pupitre, pero era como si no existiera. No hablaba con nadie, no jugaba con nadie, no levantaba nunca la mirada. Y nadie le hacía preguntas, nadie le pedía jugar con él durante el recreo, nadie lo invitaba a su casa por la tarde, nadie le decía nada, ni siquiera le tomaba el pelo. Nada. **INVISIBLE.** Egidio era una especie de misterio. Había llegado de la nada, en tercero, y al año siguiente se marchó. A lo mejor era un *alien*.

A veces me parece que a Egidio lo soñé, que nunca lo vi en realidad.

En alguna ocasión he probado a hacerme invisible, a estar ahí como Egidio, embalsamado, pensando en mis cosas, pero yo no soy como Egidio y un rato después me vuelvo visible y los demás me notan.

La invisibilidad es un arte que no poseo.

A veces navego por la red. Como hacen todos.

A veces chateo. En esa cosa que emplean todos, tipo Facebook, solo que más moderna y que se llama Lookatme.

Como foto del perfil he puesto una imagen tomada de Internet, un niño con gafas redondas que lee un libro.

Si lo pienso, chatear, sin que los otros sepan de verdad quién eres o cómo eres, es parecido a ser invisible, ¿no? Como Egidio. Ser, pero también no ser. Es una sensación que te hace sentir bien, protegido. **ME GUSTA.**

Desde hace un tiempo, hay una niña que me escribe. Se llama **DEBORAH** y por la foto parece maja. Tiene el pelo rubio y largo, pecas y los ojos verdísimos. He intentado tomar la foto de su perfil y ponerla en Google para ver si la había sacado de algún sitio como yo, pero no me sale. Debe de ser ella.

Ayer me escribió: *¡Hola, MAX! ¿Por qué no pones una foto tuya en el perfil?*

En efecto, si yo he logrado descubrir que su foto es original y no copiada, tendría que haberme imaginado que ella iba a hacer lo mismo y, por tanto, ha descubierto que el chico de las gafas redondas no soy yo, sino la imagen de una página web de una librería de Roma.

¿Ahora qué hago?

Podría poner otra foto, de otro cualquiera, hasta que Deborah lo descubra de nuevo, o hacer como que no me doy cuenta.

Hacer como que no me doy cuenta. Soy **INVISIBLE.**

UNA VEZ, mientras explicaba la lección, la profe De Vecchi dijo una cosa que me hizo pensar.

Algo parecido a esto: *gran parte de la insatisfacción del hombre depende de no saber aceptarse por lo que se es. Nos pasamos la vida intentando parecer lo que no somos y tratando de asemejarnos a quien quisiéramos parecernos*. Me pregunto a quién querría parecerme.

No querría parecerme a nadie. Solo ser invisible.

He pensado que, si me concentro de verdad, puedo tratar de ser invisible.

Es cierto que, cuando piensas tanto en una cosa, esta no sucede JAMÁS. Pero una vez oí a Domi decir que son los pensamientos los que plasman la realidad. Tiene que ver con la física cuántica o algo de eso. El caso es que he hecho un experimento.

El experimento se llama

EXPERIMENTO DE INVISIBILIDAD.

Me he quedado de pie, en un rincón del salón, inmóvil, y he esperado a que pasara alguien.

Ha pasado mamá. Hablaba por teléfono (para variar) y, cuando se ha dado cuenta de que estaba ahí, ha dado un salto. Luego ha tapado el micrófono con la mano para que no la oyeran y ha dicho:

—¡Max! ¡Me has pegado un susto!

Unos minutos después ha vuelto a pasar, esta vez sin teléfono. Y yo allí, inmóvil.

—Max —ha gritado—, ¿se puede saber qué haces? ¡Pareces una estatua o un jarrón!

No he respondido.

Cuando vea a Domi, tengo que decirle que no es cierto que los pensamientos plasman la realidad.

Lo he vuelto a probar esta tarde.

En esta ocasión me he mimetizado un poco. Me he escondido detrás de una cortina, en el salón.

La cortina es de un tejido ligero y así podía ver lo que pasaba al otro lado.

En un momento dado ha llegado papá. Se ha sentado en el sillón y ha pegado un bostezo. Luego ha cogido el periódico de la mesita y se ha puesto a leer. No se había dado cuenta de nada.

Luego ha llegado mamá.

–Max –ha dicho–, se te ven los pies.

Entonces, papá ha bajado el periódico y, cuando ha visto mis zapatillas que asomaban por debajo de la cortina, ha corrido hasta la pared y, tras golpearla tres veces con la mano, ha dicho:

–¡Casa para Max, detrás de la cortina!

ADEMÁS DE ANDY, a veces para tomarme el pelo me llaman *Abuelo,* porque dicen que con la muleta y el aparato acústico parezco un viejo.

Durante un tiempo me llamaron también *Alien,* a causa de los cristales de las gafas que me hacen los ojos enormes, como los de un sapo o de un búho o de un *alien.*

Mejor *Alien* que *Andy* o *Abuelo.*

Si realmente fuera un *alien,* me transformaría en una especie de estrella del rock, me dedicarían artículos en los periódicos y entrevistas, iría a la TV, tal vez rodara una peli. Sería de todo menos invisible.

O todos tendrían miedo de mí y yo me divertiría apuntando mi dedo láser contra Ronchese, Paolini, Serracchiani, Labranca, Nerini, contra el Gigante y los otros que hacen bullying, como el profe Pirro, que siempre se mete conmigo, y diría (con mi voz de *alien*): «Ahora os lo hacéis encima, ¿verdad? Comenzad a rezar, porque ¡está a punto de salirme un rayo! ¡Un rayito calentito que os achicharrará el cerebrito! ¡¡¡Eh, eh, eh!!!».

Pensándolo bien, ¡sería una especie de SUPERHÉROE! No invisible, pero casi. Podría vivir en un lugar SECRETO y salir fuera cuando me pareciera para gastar alguna bromita a quien se metiera conmigo. Con mi rayo láser superpotente podría cortar los coches por la mitad, hacerle raya en medio a quien tuviera el pelo largo, evaporar el agua de una piscina, hacer agujeros en las paredes y montones de cosas más. Incluso podría ayudar a papá a construir maquetas porque pegaría las piezas con el calor de mi dedo.

Mi padre hace maquetas de barcos. No las hace por trabajo. Por trabajo está en un despacho, que es la redacción del periódico para el que trabaja, *La Opinión.* Mi padre escribe informaciones del tipo:

- Coche derriba semáforo – tráfico bloqueado durante cuatro horas.
- Empleado compra Ferrari online, pero el coche no llega nunca.
- Abierta la nueva sede de los alpinos: entra agua por el tejado.
- Abuela Ada sopla ciento cinco velas: la paran en el aparcamiento de la discoteca.
- Perro muerde a su dueño: tenía hambre.

Noticias así, no muy importantes, dice mamá. En realidad, papá siempre soñó con trabajar de periodista y, cuando mira en la tele las retransmisiones de sus colegas (él los llama «colegas»), se nota que le gustaría estar en su puesto y ocuparse de los grandes temas mundiales.

Cuando papá no está en la redacción, se relaja construyendo maquetas de barcos antiguos. Ha transformado la habitación que antes era de Carolina en una especie de taller. Hacer maquetas de barcos es su **HOBBY.**

Papá pasa mucho tiempo haciendo barcos. A veces mamá lo llama porque la cena se enfría y él… «¡Voy!».

Como hago yo cuando estoy jugando y no tengo ganas de dejarlo. Los barcos que construye papá son barcos de vela, como los de los piratas de las pelis, y tienen nombres extrañísimos. Él también tiene un mote. Se lo ha puesto mamá. Lo llama **CAPITÁN,** a causa de los barcos que hace. Mamá dice también que si papá se pusiese a vender sus maquetas ganaría más de lo que gana trabajando en *La Opinión*.

Mamá también tiene su *hobby*, que es estar al teléfono. Tiene un montón de amigas y se pasa el día **AL TELÉFONO** con una o con otra. Pero sobre todo con mi hermana Carolina.

Digo que es su *hobby* porque un *hobby* es una cosa que te gusta hacer (así nos lo explicó una vez la maestra de infantil) y a mamá le gusta un montón hablar POR TELÉFONO, y si yo paso por su lado ella me hace gestos de que está AL TELÉFONO (como si no la viera) y se encierra en alguna habitación, y si yo voy a esa habitación por algún motivo, ella me sonríe, me acaricia el pelo y, haciéndome gestos de que está AL TELÉFONO, cambia de cuarto. No siempre cuando está AL TELÉFONO habla. A veces solo escucha.

BLA
BLA
BLA

No sé por qué no usa WhatsApp o Facebook como hace todo el mundo. Desde mi punto de vista, iría más rápido y no estaría todo ese tiempo con la oreja pegada al móvil, que dicen que es malo. Una vez se lo pregunté.

Ella me respondió que no le gustan nada esas historias, que de niña solo había el teléfono fijo, que en su casa solo había uno y que lo usaban, por turnos, sus hermanas, sus padres y ella, y yo me los imagino en fila como nos ponían en infantil cuando salíamos del colegio o íbamos a algún sitio, o como pasa a veces en el cine, los sábados o los domingos, cuando hay mucha gente.

BLA
BLA
BLA

BLA
BLA
BLA

A veces mi casa está tan vacía y tan silenciosa que parece que no me funciona el aparato. Subo el volumen, pero la cosa no cambia. Hay un montón de silencio. DEMASIADO.

Esto es el silencio.

Línea del silencio

MAMÁ ME HA DICHO QUE HA FIJADO la visita para el control ortopédico el jueves próximo, que no acepte otros compromisos.

¿Compromisos, yo?

Cuando asimilé que iba al médico mucho más que los otros niños, le pregunté a mamá si estaba enfermo. Tenía cinco años.

De pequeño no percibes ciertas diferencias.

De hecho, en infantil y en primaria, nadie me tomaba el pelo por como soy.

En secundaria, cambió todo. Y me convertí en distinto de los demás.

Cuando de pequeño le preguntaba a mamá si estaba enfermo, ella respondía que no me preocupara, que todo estaba bien, que no tenía NADA que no funcionara. Y yo me lo creía, que todo estaba bien, que no tenía NADA que no funcionara. Que era como los demás.

Pero no todo estaba bien, no para mí. Y no todo está bien tampoco ahora.

Con la muleta para caminar, el aparato pegado a la cabeza y la cresta en la espalda, ¡¿cómo va a estar

TODO BIEN?!

El ortopedista dice que tendría que operarme para alargar y enderezar la pierna que no me funciona. Entonces tal vez podría dejar de usar la muleta. Pero yo no sé. Es una operación larga y dolorosa y lo que suceda después también será largo y doloroso.

Puede que prefiera quedarme con la pierna torcida y enclenque. En el fondo le tengo cariño.

HOY HA PASADO ALGO RARO, una cosa de esas que salen en el periódico. A lo mejor, por cosas así es por lo que existen los periódicos, para informar de los hechos extraños.

Durante la tercera clase, el profesor Pirro me ha mandado a la sala de profesores porque se había olvidado de la lista. El profesor Pirro da clases de matemáticas, una de las asignaturas en las que voy peor. Él dice que las matemáticas y yo somos incompatibles. Probablemente tenga razón, pero lo dice siempre delante de toda la clase y me molesta un poco. El profesor Pirro me manda a menudo a buscar cosas o me hace borrar la pizarra. «Así te sientes útil», dice. Él es uno de esos contra quienes apuntaría el dedo láser si fuera realmente un ALIEN.

Pues, esta mañana me ha mandado a la sala de profesores. Ha dicho justamente:

—Ve tú, Stanghelli, así te sientes útil.

La sala de profesores es un cuarto con una mesa grande en el centro. Como sobre la mesa había un montón de cosas desordenadas, la profe Ferri, que es mi profesora de música, me ha dicho:

—Espera un poco, Stanghelli, que la busco. Si quieres, mientras, cómete un pedazo de bizcocho.

Pero yo, por miedo a que se me quedaran trocitos pegados en los aparatos, he respondido:

—No, gracias.

Mientras ella buscaba la lista del profesor Pirro, me he quedado mirando la papelera que está al lado de la mesa.

Dentro había un dibujo. En realidad, no era solo 1 dibujo, eran MUCHOS dibujos. Pero no dibujos enteros, en una página, sino dentro de recuadros. Para ser exactos, era 1 CÓMIC. Pero no un cómic como los otros, de esos impresos. NO. Este estaba en un papel normal, y parecía mal hecho, o sea, no era uno de esos cómics auténticos que venden en el quiosco. Era como si lo hubiera hecho alguien para divertirse.

Como la profe todavía no había encontrado la lista y el cómic me producía curiosidad, he pensado en llevármelo. Me he inclinado con la excusa de atarme el zapato y en un nanosegundo me lo he metido debajo de la sudadera.

—¡Aquí está tu lista! —ha dicho un momento después la profe.

Y yo:

—¿Eh? Ah, sí, gracias.

—Entonces, ¿vas a participar en el musical? —me ha preguntado de sopetón.

¡¡¡Pregunta a traición!!!

Yo la he mirado como si fuera un monstruo venido de los abismos.

—Realmente yo…

La profesora Ferri tiene fijación por los espectáculos. Por lo que dicen, todos los años organiza una representación con los de primero de secundaria. Esta vez ha elegido un musical, es decir, una obra de teatro en la que se baila y se canta además de declamar. Y me lo viene a decir a MÍ, el inútil de la clase, que tendría que salir con la muleta y la boca cerrada para que no se vean los aparatos de mis dientes, que si abro la boca un poco más de la cuenta igual una de las gomas se desliza hasta mi garganta o ¡¡sale volando a la cara de otro actor!! ¿Y si se me despega el implante y me pierdo la música y los parlamentos o se me cae en medio del patio de butacas a causa de un resbalón? ¿Te imaginas las carcajadas? No, gracias, de verdad. NO, lo siento mucho pero NO, por supuesto que NO, gracias.

–No lo sé –he respondido poniéndome como un tomate.

–Piénsalo, Stanghelli –ha insistido ella–. ¿Qué tienes que perder?

«¿Qué tengo que perder?», he pensado. ¡Perderlo, todo; ganar, nada! ¡Ahí está el asunto!

–¡Te divertirás! –me ha gritado mientras salía.

Sí, claro, ¡me MORIRÉ de la risa!

En fin, con la lista bajo el brazo, he vuelto a clase. En realidad, no veía la hora de sacar aquel extraño cómic y echarle un vistazo. Era lo único que me importaba.

–¡Cuánto has tardado, Stanghelli! –ha refunfuñado el profesor–. Has ido a dar una vuelta, ¿no? Mientras tus compañeros se esforzaban…

No parecían tan cansados, a decir verdad, pero he pasado de decirlo y me he vuelto a mi sitio en silencio y, mientras caminaba entre los pupitres, Paolini me ha puesto la zancadilla y el profesor ha dicho:

–Paolilllllini (que no sirve para nada).

Durante el recreo me he ido a un rincón del patio y he ojeado el cómic.

Había un superhéroe un poco raro con un dragón estampado en el traje. El título era precisamente:

La grafía de Dragon Boy era muy fuerte y tenía florituras voladoras, como algunos títulos de películas. En resumen, prometía mucho.

He empezado a leer, pero de pronto Labranca se me ha tirado encima.

–¡Oh, perdona, perdona! –ha dicho enseguida, simulando que lo sentía realmente. Y, mientras, se reía y miraba a los demás, que estaban agrupados un poco más allá y se reían también. El cómic había ido a parar al suelo. Lo he recogido enseguida porque lo había ROBADO de la sala de profesores y no quería que alguien se diera cuenta, pero a esas alturas ya lo habían visto prácticamente TODOS. Me lo he metido bajo la sudadera como si nada y he empezado a mirar las piedrecitas del suelo esperando que me dejaran en paz (mis compañeros, no las piedrecitas).

El resto de la mañana lo he pasado esperando que sonase el timbre para irme a casa.

Ahora tengo el cómic ante mí, encima del escritorio. Está un poco estropeado, pero es BONITO.

Como estamos a punto de comer, ¡voy a tener que esperar un poco más!

¡¡¡AQUÍ ESTÁ EL CÓMIC!!!

¡UAUURGH!

DRAGON BOY

WOOSH

BALA DE FUEGO

CARRERA MORTAL

LA TERRIBLE CRIATURA SOBRE LA LOCOMOTORA ES...

ES MALÍSIMO

LOS PASAJEROS ESTÁN PERDIDOS.

Está altísimo, ¿no?

... ¡DRAGON BOY!
KLANG
URGHH
PERO DRAGON BOY NO TIENE TIEMPO PARA CUMPLIDOS Y VA A LA BÚSQUEDA DE PREPOTENZ.
¡ESTAMOS A SALVO!
¡GRACIAS, DRAGON BOY!
¡PREPOTENZ, NO TE ME ESCAPARÁS!
THUMP
¡OH, NO! ¡DRAGON BOY!
LA JUSTICIA NO PUEDE TRIUNFAR.
SBLORCH
¡NOOOOO!
Flujo de prepotencia
¡NO PUEDO SOPORTAR TODA ESTA PREPOTENCIA!
ME ESTÁ ABRUMANDO...
BLURB BLURB
¡PERO DEBO RESISTIR!

¡Y REACCIONAR!
SPLAT
SPLAT
¡OH, OH!
¡ME HAS HECHO ENFADAR!
¡NO! ¡ESTABA BROMEANDO!
POK
¡OUCH!
STUNG
¡AH!
¡ES MEJOR ESCAPAR!
¡TÚ NO VAS A NINGÚN SITIO!
WOMF
¡AAAAHHH!
¡NADIE PUEDE DERROTAR A DRAGON BOY!
¡YA PUEDES DECIRLO BIEN ALTO!

ESTA NOCHE MI HERMANA CAROLINA nos ha invitado a cenar a su casa.

Es una cosa EXCEPCIONAL porque Carolina no nos invita nunca a su casa. Sobre todo, desde que tuvo al niño. Pero esta noche celebramos algo especial: Pablo (mi **SOBRINO**) cumple seis meses.

La casa de Carolina no me gusta.

Es una minicasa y huele a pintura siempre (su marido Giorgio es pintor, de cuadros no de paredes, y, según dice mamá, no gana ni un céntimo, por eso viven en una minicasa, pero él, si le oyes hablar, parece que sea Van Gogh o quién sabe quién).

Hoy he aprendido una cosa: cuando te piden que cuides a un bebé, mejor no hacerlo y decir que prefieres ver la tele o simular que tienes sueño y te duermes tumbado en un sofá.

Después de cenar, me han preguntado si quería ***JUGAR*** un poco con mi sobrino (oír eso de SOBRINO me causa impresión). Como me parecía de mala educación decir que no me importaba nada un pequeñuelo con babas en la boca y tufo a caca, he respondido que sí.

«Jugar» es decir mucho. Digamos que yo movía cosas tontas, como sonajeros, muñecos de tela, abejas que cuelgan de su sillita, y él agitaba las manos con una sonrisa boba en la cara.

Pero lo que me ha molestado no ha sido «jugar» con mi sobrino, sino ver las miradas aprensivas que de vez en cuando me echaba mi hermana, como si tuviera miedo de que pudiera hacer una desgracia con el niño, ¡MATARLO por equivocación, por ejemplo!

Luego, mamá me ha dicho que si quería podía tomarlo en brazos. A mí no me emocionaba mucho cargar en brazos al muñequito, pero he dicho que sí, por el motivo de siempre: que no creyeran que yo no estaba interesado en mi SOBRINO. De inmediato ha intervenido Carolina, diciendo que no tenía por qué hacerlo, que era mejor que no lo hiciera, que Pablo se pone a llorar si los extraños lo toman en brazos. ¿Extraños? No creo que sea un extraño para mi sobrino, pero es que, además, mi madre y mi padre lo habían tenido en brazos diez minutos antes y el niño no había llorado ni por asomo. Así que ese comentario es lo que más me ha molestado DE TODO. Y, ni hecho a propósito, Pablo se ha puesto a lloriquear y mi hermana se ha levantado y me lo ha arrancado prácticamente de los brazos, mientras decía:

—¿Has visto? Te lo he dicho. Ahora, a ver cuánto tardamos en calmarlo —y no dejaba de resoplar, abrumada.

Carolina siempre está con lo de que yo soy diferente a la mayor parte de los niños. Dice que lo hace para protegerme porque hay cosas que no puedo hacer o que me expondrían a tomaduras de pelo inútiles o peligros. Dicho así, parece que se preocupe mucho por mí. Pero, en realidad, creo que no se fía. No está segura de que yo pueda ser como los otros, hacer las mismas cosas, no armar algún lío. Y esta noche, aunque no lo ha dicho, yo sabía que ella tenía miedo de que hiciera algo malo; que dejara caer a Pablo, sin ir más lejos.

Mamá cuenta siempre que tía Ester, una vez, no se dio cuenta de que me había caído de la trona. Yo tenía un año y no se dio cuenta de que durante casi *1 minuto 1* me quedé sin respiración. Mamá dice siempre que me puse AZUL. Como un avatar, digo yo. Luego, por suerte, volví a respirar, pero ella se enfadó tanto con la tía que no volvió a dejarme nunca a solas con ella.

Por eso, Domitilla es mi hermana

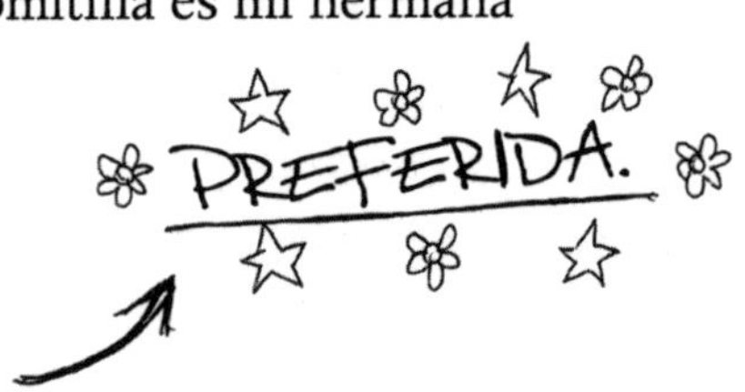

Ella se pone siempre de mi parte, me defiende. Nunca la he oído hablar de cómo soy y, por encima de todo, no dice nunca si según ella PUEDO o NO PUEDO hacer una cosa. En eso se parece a mamá. Para Domi las personas son todas iguales, jóvenes, viejas, negras o blancas, rectas o torcidas.

Una de las cosas que recuerdo con más nostalgia de cuando era pequeño es que a veces me acariciaba la espalda. Hacía que sus dedos caminaran por mi estúpida espalda con cresta, como si fueran las piernecitas de una criatura en miniatura, y sonriendo me decía que yo era especial porque era el niño más guapo del mundo.

De vuelta a casa, en el coche, no he abierto la boca y mamá y papá han comprendido lo que me ocurría. Pero no han dicho nada, porque sabían que no hubiera valido la pena.

Al desearme las buenas noches, me han dado un abrazo fuerte y un beso en la cabeza. Los conozco, y es la manera de decirme que todo está bien, que no haga caso a según qué cosas. Pero, de todas formas, no es fácil.

Antes de apagar la luz, he echado una mirada al cómic de Dragon Boy. Lo guardaré en un sitio seguro, aquí en mi diario.

Mañana intentaré dibujarlo.

EXPERIMENTO DE INVISIBILIDAD NÚMERO 2

Hoy he vuelto a la carga con el experimento de invisibilidad.

Lo he probado con mi hermana Domi.

Mi hermana tiene en su cuarto un peluche viejo, gigantesco, de cuando era pequeña. Un oso naranja, que se llama GORDI.

GORDI

Gordi está sentado al lado del armario, en un rincón entre la pared y el radiador. Me he sentado junto a él y he tratado de imitar su expresión, que es la del que se ha comido un montón de golosinas y tiene dolor de tripa.

Domi ha entrado en su habitación y me ha visto enseguida. Pero no ha dicho nada. Ha sonreído.

Ha dejado el bolso, se ha quitado los zapatos y se ha puesto una sudadera.

Luego se ha sentado en la cama y ha suspirado.

–¿Qué haces? –me ha preguntado.

–Soy invisible –he susurrado tratando de no abrir la boca, como los ventrílocuos.

–Vale –ha respondido como si nada. Y ha continuado haciendo lo que tenía que hacer, como si yo no estuviera, como si realmente fuera invisible.

Domi es la única que REALMENTE me entiende.

Algunas veces pienso que, si ella estuviera en peligro, como en el caso de que alguien le disparase un tiro, por ejemplo, yo me pondría en medio para que la bala me alcanzase a mí.

Como si fuera un superhéroe.

Solo que preferiría que no sucediera porque probablemente me moriría.

¿Por qué los superhéroes no mueren nunca?

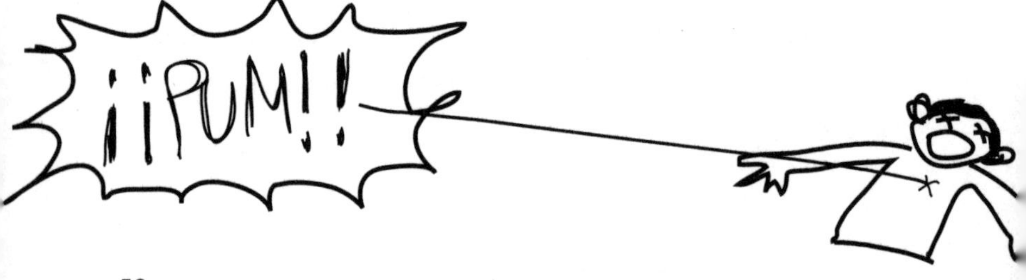

MI MADRE se llama Daniela.

Cuando dije que su pasión es el teléfono, exageré. En realidad, no está siempre al teléfono, o si está, es por trabajo. Vende productos de belleza hechos con hierbas y otras cosas naturales y biológicas. Las ventas las hace por teléfono y luego, algunas veces, en REUNIONES. Son encuentros con otras mujeres interesadas en comprar los productos que vende mamá. Parece un asunto de espías, de revolucionarios, lo de las reuniones. A menudo las hace de noche porque dice mamá que las señoras ya están en casa y han metido a los niños en la cama. Así que, una o dos veces por semana, mi madre sale después de cenar para ir a una de esas reuniones y yo me quedo solo con papá. A veces vemos una peli juntos. Otras, si está trabajando en la maqueta de un barco, yo veo la tele solo o termino de hacer los deberes si no los he hecho por la tarde.

Mi madre es una mujer muy sonriente y cariñosa. Pero a veces llora. Nunca le he preguntado por qué llora. En alguna ocasión he pensado que lloraba porque yo me había portado mal. Durante un periodo de tiempo, creí que lloraba porque yo no era como ella quería. Pero luego comprendí que ese no podía ser el motivo.

Mi madre me deja siempre libertad para hacer las cosas (menos cuando me obliga a ponerme el aparato de los dientes o ir a natación y otras cosas así). Pero si, por ejemplo, yo quisiera jugar al balón con la muleta, ella me dejaría. Cuando me empeñé en aprender a montar en bici, ella me regaló un maillot rojo por mi cumpleaños, y aunque me caía continuamente ella no paraba de decirme: «¡Venga, que estás aprendiendo!». Y cuando le pedí que fuéramos a la montaña rusa, ella me dijo que sí, solo que yo, al subirme, tuve miedo y dije que había cambiado de idea. En resumen, es de las que te empuja a hacer cosas, a PROBAR. A conocer tus propios límites, dice ella.

Una vez me hizo leer una frase que estaba en un libro. Era algo como: *Uno es valiente cuando, sabiendo que la batalla está perdida de antemano, lo intenta a pesar de todo y lucha hasta el final pase lo que pase.*

Lo he recordado a menudo, pero no estoy conforme.

¿Qué sentido tiene hacer una cosa cuando sabes que no vale para nada?

¡¡¡ATENCIÓN!!! ¡¡¡¡¡EL TEXTO QUE ESTÁIS A PUNTO DE LEER NO ES APTO PARA TIQUISMIQUIS NI DÉBILES DE CORAZÓN!!!!!

HOY ESTÁBAMOS escuchando una soporífera lección de lengua con la profesora De Vecchi, cuando hemos empezado a oír voces en el pasillo. Las voces se han transformado en unos *GRITITOS* y, pocos segundos después, hemos oído las puertas de las otras clases que se abrían y el típico ruido de sillas corridas y de alumnos que salían fuera.

Nos hemos mirado unos a otros, mientras la profe perdía por un momento su aire esnob y elegante y aguzaba los oídos, algo preocupada.

También nosotros nos estábamos poniendo nerviosos porque no entendíamos qué estaba sucediendo. Yo notaba que el corazón me latía más fuerte y no sabía qué hacer. Alguien, tal vez Sara, ha dicho que nos tirásemos por la ventana, que si era un ataque terrorista era la única manera de salvarse. A mí me ha parecido una tontería colosal. Entonces, Ronchese, que siempre tiene que demostrar que es un duro y no tiene miedo de nadie, ha dicho:

–¡Ya voy yo a ver qué pasa!

Serracchiani, que se pega a él como un chicle a la suela del zapato y que no quiere ser menos, se ha puesto enseguida a su lado. Y antes de que la profesora De Vecchi pudiese murmurar «Sí» o «No», o «¡Quietos!», o «Volved de inmediato a vuestro sitio», o cualquier otra cosa, Ronchese ha agarrado el pomo de la puerta, que casi se le queda en la mano, y ha abierto de par en par. Todos nosotros, dentro, con la profe incluida, hemos aguantado la respiración.

Serracchiani y él han mirado afuera e inmediatamente después se han empezado a reír. Así que nosotros también, dentro, nos hemos puesto a reír, pero en realidad no sabíamos a qué venían tantas risas.

–¡CUCARACHAS! –ha gritado Ronchese.

–¡CUCARACHAS! –ha gritado Serracchiani (que hace siempre lo que hace Ronchese).

Ha sido como una señal.

TODOS hemos saltado de las sillas, incluida la profe.

Algunos han salido a ver, otros se han subido encima de la silla o del pupitre pegando grititos de asco (sobre todo, las chicas, salvo Sara).

Yo me he ido fuera. El pasillo estaba invadido de cucarachas negras que corrían como locas en todas direcciones. Parecía **UN RÍO** de cucarachas negras.

No sé de dónde venían, pero no me importaba. Lo que me importaba era que yo NO tenía miedo de las cucarachas (¡las cucarachas no muerden!) y que la soporífera lección de lengua se había interrumpido.

Un grito. **¡¡¡AAAHHH!!!** La profe De Vecchi estaba detrás de mí, con los ojos como platos como en los primeros planos de las pelis de terror, el cuerpo petrificado por el miedo. El grito era suyo. Mientras, Ronchese y Serracchiani corrían detrás de las cucarachas tratando de pisotearlas (Ronchese hacía eso, Serracchiani iba detrás de él, riendo como un bobo). De todas las clases salía gente con cara de asco; en resumen, un caos...

De pronto, el profe de gimnasia, Accardi, ha atrapado un **EXTINTOR** y ha disparado espuma **POR TODAS PARTES,** salvo sobre las cucarachas.

–¡Accardi! –ha gritado el profesor Savino–. ¿Qué demonios crees que estás haciendo? –y le ha quitado el extintor de las manos.

Accardi no ha contestado nada, pero por su expresión se notaba que estaba molesto, sobre todo porque dos alumnos estaban cubiertos de espuma y uno de ellos (imposible reconocerlo) ha gritado:

–Pero ¡profe! ¡¡¡Me ha estropeado la sudadera nueva!!!

Luego, de uno de los servicios, han salido dos operarios que llevaban llaves inglesas y tubos. Han visto el caos que había en el pasillo, se han mirado y han alargado los brazos como diciendo que no sabían qué hacer. En efecto, NADIE sabía qué hacer. Nunca se había visto una escena igual. Había como mínimo 10.000 cucarachas. O, a lo mejor, ¡1.000.000!

El Gigante estaba allí, en el pasillo también. Ponía cara de no haber roto un plato, reía con Alberti y De Vitis como si la cosa no fuera con él, pero mientras miraba a su alrededor y tenía la espalda pegada a la pared.

Ronchese y Serracchiani fingían que se limpiaban los zapatos en los cantos de las paredes, como si tuvieran trozos de cucaracha en las suelas. Bromeaban.

A Paolini, Labranca y Nerini no los he visto, igual se habían quedado en clase. Marietto, sin embargo, ha caído en la cuenta de poner a salvo su bocadillo. Me ha dicho que a las cucarachas les encanta el BEICON.

He mirado a la profe De Vecchi, que seguía a mi lado, y me he dado cuenta de que **NO** respiraba. ¡¡¡Tenía un par de cucarachas trepando por sus pantalones!!! ¡Qué bueno! Ella las miraba **ATERRORIZADA,** ni que fueran tarántulas venenosas, y estaba **BLANCA** como la pared que tenía a su espalda.

–Estese tranquila, profe. No hacen nada –le he dicho.

Y ella:

–¡¡ODIO LAS CUCARACHAS!!

Entonces las he mandado a freír espárragos dándoles unos golpecitos con los dedos, como cuando se juega a los bolos en la arena, y ellas se han caído al suelo con un ruido seco, como piedrecitas.

La profe ha empezado a respirar de nuevo.

–Gra... gracias, Stanghelli –ha dicho con un hilo de voz.

Luego ha pasado alguien corriendo y las ha chafado con sus zapatos sin ni darse cuenta.

–¡Qué asco! –ha dicho la profesora.

Sara se me ha acercado y ha dicho que no le dan miedo las cucarachas, que en su casa hay muchas y está acostumbrada.

–¿Quieres venir a ver mis cucarachas? –me ha preguntado.

Yo creo que bromeaba. No me imagino que en su casa haya cucarachas. O por lo menos eso espero, por ella.

El rubito de la I B, uno que gusta mucho a las chicas, tenía tres o cuatro a su alrededor (chicas, no cucarachas) y hacía posturitas, como un caballero defendiendo princesas en peligro. Me ha mirado, como diciendo: «Mira qué héroe soy». Pero yo me he hecho el interesante y no le he seguido el juego.

Finalmente, ha llegado el director, muy nervioso y con la cara muy roja, y ha empezado a dar órdenes que nadie obedecía. Mientras, los pobres insectos, más asustados que las personas, se han escapado por los conductos de calefacción o se han metido detrás de los armarios y el director ha tomado la decisión de cerrar el colegio inmediatamente.

–Mañana vendrán los encargados de desinfectar y harán borrón y cuenta nueva.

Eso ha dicho el profesor Savino tras cuchichear un poco con el director. Luego ha asido a la profe De Vecchi por el brazo y prácticamente la ha arrastrado fuera. Ella iba rígida como un bloque de mármol y escudriñaba preocupada todos los rodapiés y todas las esquinas, esperando que apareciera de un momento a otro una nueva oleada de monstruos.

Cuando he llegado a casa, mamá no me creía. Ha dicho:

–Sí, vale. Invéntate otra cosa. ¿Por qué no una invasión de marcianos? Eres como la tía Ester, que de niña contaba una bola tras otra y luego, cuando tenía que contar algo real, nadie la tomaba en serio ya.

He necesitado toda la tarde para convencerla. Papá ha hecho algunas llamadas y, al final, se ha enterado de que las reparaciones en una tubería de uno de los lavabos del colegio han provocado la huida de una colonia de cucarachas que vivía dentro de las paredes. Ha dicho que en total no había más de una decena de cucarachas, pero yo estaba allí y, desde mi punto de vista, eran millares. En fin, ha decidido escribir una nota para el periódico citándome como testigo. Va a titularla:

INVASIÓN DE CUCARACHAS EN EL COLEGIO: ALUMNOS Y DOCENTES HUYEN ATERRORIZADOS

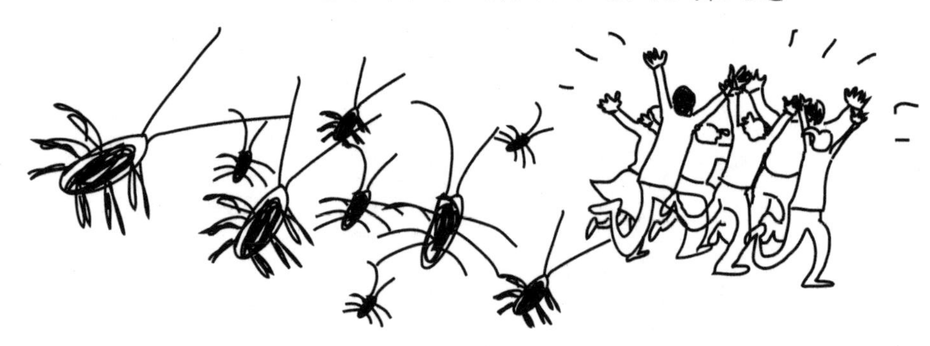

—Yo no estaba aterrorizado —he protestado.

—El texto funciona mejor si digo que estabais todos aterrorizados —ha respondido—. Se llama *énfasis periodístico.*

CUANDO VOY EN AUTOBÚS, intento quedarme siempre cerca del conductor. Puede serme útil. Pero hoy NO me ha valido.

En el 12 estaba Alberti, uno de los abusones de secundaria, amigo del Gigante. He simulado que no lo veía, pero él me ha visto a mí.

–¡Eh, Alien! –ha dicho poniéndome su manaza sobre la espalda. Y al notar la cresta, ha añadido–: *¿Qué porras tienes ahí detrás? ¿Un tanque?* –y se ha reído. Luego, se ha puesto serio de repente y ha continuado–: ¿Tienes euros?

Era una pregunta, pero ha sonado como una ORDEN. He mirado en dirección al conductor con la esperanza de que tuviera una mínima intención de intervenir, de decir algo, pero nada.

PROHIBIDO HABLAR
CON EL CONDUCTOR

decía el cartel que estaba justo frente a mi nariz. ¿Y si estás a un paso de morir?

–¿Euros? –he repetido sin saber qué más decir.

Y él:

–Sí, euros. ¡Muévete!

He tocado la moneda de dos que llevaba en el bolsillo.

–No tengo dinero –he respondido, pero poco convencido.

Alberti me ha abrazado como si fuera mi amigo, pero en realidad me estaba clavando las uñas en la espalda.

–¿Estás seguro? –ha preguntado.

–Ay, no, acabo de encontrar dos euros –he contestado mientras me ponía rojo como un tomate.

Y él:

–Suficientes.

Luego me ha dado una especie de colleja en la cabeza.

–¡Gracias, bobo! –ha dicho antes de apearse del autobús.

He bajado el último y antes de hacerlo le he echado una mirada al conductor, seguro de que lo había oído todo. Me ha mirado como diciéndome: «¿Bajas de una vez o quieres volver atrás?». Y yo he bajado. Bueno, he pensado: «¿No querías ser invisible? Pues aquí lo tienes: el conductor no te ha visto para nada».

Por la tarde, Deborah estaba en línea, en Lookatme. Así que he respondido.

Le he escrito que cambiaré pronto la foto del perfil (aunque no es verdad que lo vaya a hacer).

Ella ha puesto ¡¡¡¡Qué bien!!!! Y había unos corazoncitos al final del mensaje.

Yo no sabía qué más contar y le he preguntado si le gustaban los cómics.

Ella ha puesto *Bueno...*, que desde mi punto de vista quiere decir **NO**. Ya no sabía qué más escribir. Por eso, se me ha ocurrido contarle lo de las cucarachas del colegio. Me parece divertido.

Me ha dicho que las cucarachas le parecen simpáticas (**¿¿¿SIMPÁTICAS???**) y que le habría encantado verlas. Después ha añadido una tira de caritas que sonreían.

Yo he escrito OK. ¡Chao!

Y ella también ha escrito ¡¡¡¡Chao!!!!, con más caritas.

EN REALIDAD NO ME IMPORTA ser invisible en casa, con mi familia quiero decir.

Lo que me interesa es ser invisible PARA EL RESTO DEL MUNDO.

Hoy he hecho un nuevo experimento de invisibilidad.

EXPERIMENTO DE INVISIBILIDAD NÚMERO 3

Durante el recreo, me he puesto junto a un árbol y me he quedado ahí, sin hacer nada. Parecía un asesino en serie que espiaba a sus posibles víctimas.

De repente, ha llegado a mis pies la pelota de papel y cinta adhesiva que usan algunos chicos para jugar al fútbol en el patio. He dejado que me rebotara en las canillas.

–¡Pasa! –ha gritado uno.

Pero no he movido ni un músculo. Me he concentrado en las vetas del tronco como si fueran lo más importante del mundo.

–¡Pasa! ¿Estás sordo?

Y yo nada. En el tronco había hormigas y una araña que luchaban entre ellas.

–¡Es verdad que es medio sordo! –ha dicho otro–. ¡¿No ves la antena que tiene en la cabeza?!

Entonces el que había gritado «¡Pasa!» ha venido a buscar la pelota. Se la ha llevado sin dignarse a echarme una mirada, como yo quería, como si fuera el tronco del árbol, y se ha vuelto a jugar.

Me he quedado allí hasta el final del recreo, hasta poco después de que la araña y las hormigas hubieran terminado su pelea (para que lo sepáis, ha ganado la araña, que ha echado a las hormigas) y no ha venido nadie más a incordiarme, ni Sara, a la que he visto dar vueltas por el patio, a lo mejor buscándome a mí.

CONCLUSIÓN: se puede ser invisible a veces. Pero se necesita una gran capacidad de concentración.

Hoy en natación hemos hecho COMPETICIONES SOCIALES.

Las COMPETICIONES SOCIALES son una solemne imbecilidad. Son estúpidas y no valen para nada salvo para que el que las gane pueda decir: «¡Eh, he ganado las COMPETICIONES SOCIALES!».

¿Y a quién le importa?

Las COMPETICIONES SOCIALES se celebran entre los que van a natación, agrupados según sus aptitudes.

El año pasado Joroberto, mi monitor, me hizo nadar los 25 estilo libre y los 50 espalda.

En estilo libre yo no quiero nadar porque se me ve la cresta que tengo en la espalda y me da vergüenza. Parezco un pez prehistórico o algo similar. ¡Imaginaos, el día de las IMBECILÍSIMAS COMPETICIONES SOCIALES hay público aplaudiendo y haciendo la ola sin parar! Como Joroberto no quería entenderlo, cuando dieron la salida, me quedé quieto, ni siquiera salí. Joroberto se puso hecho una furia y empezó a vocear más que de costumbre. Mis padres y mi hermana Domitilla (Carolina no pudo venir porque tenía la tripa como un globo aerostático y se arriesgaba a que Pablo naciese en las piscinas municipales y diera al traste con la competición) me miraban con cara rara, como si me quisieran decir: «¡Venga, venga, tírate!». Uno de mis compañeros de curso, para hacerse el gracioso, me dio un empujón y caí al agua y Joroberto se enfadó todavía más. Cuando llegó el momento de los 50 espalda, yo ya no tenía ganas de nadar (lo cierto es que no tengo NUNCA). Joroberto me dijo que hiciera esa carrera si no quería ser un auténtico desastre. Así que me puse en posición (para las carreras de espalda se sale ya desde el agua, con las manos agarradas al podio de salida). Cuando gritaron «¡YA!», me di impulso y de la energía pegué un MANOTAZO a la cara de mi vecino de calle. Luego traté de hacer lo que pude, pero por culpa de mi pierna derecha (que es algo más corta que la izquierda) nado torcido y siempre estoy dándome contra las corcheras que delimitan las calles. Lo hago normalmente, ¡imaginaos durante una carrera! Fue un verdadero sufrimiento. Tragué litros de agua y tuve que pararme millones de veces. Hice tantos zigzags que al final de 50 nada, ¡¡¡por lo menos hice 100 o 1.000 espalda!!!

Llegué el **ÚLTIMO** ☹

y el penúltimo me sacaba media piscina.

Eso el año pasado.

Hoy he ido a las **ESTÚPIDAS COMPETICIONES SOCIALES** con una especie de nudo en la garganta y el corazón que me latía como loco.

—¿Qué te pasa? —me ha preguntado papá, que, para venir a verme, no ha ido a trabajar por la tarde.

—Está emocionado —ha respondido mamá.

¡UFF! ¡UFF!

Pero yo no estaba emocionado para nada. Estaba solo AGOBIADO por tener que participar en las malditas **COMPETICIONES SOCIALES.**

Domitilla está en la universidad y a Carolina ni se lo hemos dicho porque siempre está liada con Pablo y, además, no le interesa nada.

En el vestuario, Joroberto ha venido a decirme que tenga confianza, que he mejorado mucho y que tenía la corazonada de que iba a quedar muy bien. ¡Sí, seguro!

He hecho los 50 espalda y he llegado el ÚLTIMO como siempre. Cuando he salido de la piscina, he visto a mi familia aplaudiendo y sonriendo. ¿Qué demonios tenían que aplaudir y sonreír? Me he dado la vuelta y adiós muy buenas.

No es culpa de ellos. La culpa es mía. No tenía ganas de nada, solo de estar en otro sitio. O ser invisible.

He esperado a que los demás terminaran sus carreras sin ni ponerme el albornoz, con la piel de gallina, entrechocando los dientes de frío, sentado en el banco de madera, empapado en agua y cloro. Joroberto ha venido a dar la mano a sus *chicos,* así nos llama, y cuando ha llegado mi turno he simulado que no lo veía. Él me ha acariciado la cabeza, pero yo me he apartado y se le ha quedado el gorro en la mano.

Después de cenar, quería ayudar a papá a construir

una nueva maqueta, ya que mamá estaba en una de sus REUNIONES, pero papá tenía que trabajar en el ordenador.

–Estoy trabajando en una investigación –me ha dicho con expresión seria–. Una gran investigación. Y tengo que documentarme bien.

Como yo seguía de mal humor, ha añadido:

–Hoy te has portado como un campeón.

–¿Cuándo?

–En la carrera.

–¿Que me he portado como un campeón? Si he llegado el último –le he dicho extrañado.

–Te has portado como un campeón, llegando –ha rematado él.

TRAS UN DÍA CLAUSURADO, el colegio ha abierto de nuevo.

Huele que apesta. La de ciencias, la profesora Nicolini, ha dicho que según su opinión no tendríamos que haber regresado todavía, porque podría ser que los productos empleados para desinfectar fueran tóxicos.

Alguien ha preguntado si corríamos riesgo de morir y la profe ha respondido:

–Morir no, pero toser sí.

Y nos ha hecho abrir las ventanas de par en par, aunque hiciera un frío de muerte.

Por la tarde, estornudaba.

–Te tengo dicho que te abrigues bien –me ha reñido mamá–. La tía Ester –ha añadido– de joven iba siempre escotadísima y luego, a los cincuenta, se enteró de que tenía bronquitis crónica. Ahora está día sí y día no a vueltas con el aerosol.

¡Y cómo le cuento yo que toda la culpa la tiene la profesora Nicolini!

Por la tarde he ido al ORTOPEDISTA. Así me he ahorrado la reunión que la profe Ferri había fijado para empezar a hablar del musical. ¡Menos mal!

El ortopedista (que se llama doctor Turri) no tiene revistas como las del dentista. No tiene ni una revista. Nada de nada. La sala de espera está vacía. Hay sillas y un perchero del que nadie cuelga nunca nada. Y en las paredes hay carteles que hablan de enfermedades o cosas así de aburridas.

Para pasar el tiempo los he leído todos por lo menos cien veces. Prácticamente me los sé de memoria. Uno decía: EL MOVIMIENTO ES VIDA. DA EL PRIMER PASO. Luego ponía que artrosis y artritis son las enfermedades degenerativas más frecuentes en la población mayor de cincuenta (mamá me ha explicado que la tía Ester y los abuelos son «población mayor de cincuenta») con un porcentaje del 18,3, seguidas de la hipertensión y de las enfermedades cardiovasculares.

Mientras estaba leyendo un cartel que hablaba de

RECUPERACIÓN Y REEDUCACIÓN FUNCIONAL DE II NIVEL,

nos han llamado.

El doctor Turri tiene la cabeza como una bombilla.

Pero como toma rayos UVA (dice mamá), en vez de ser blanco como las bombillas es color café con leche. Tiene los ojos grandes y redondos como pelotas de pimpón.

El doctor Turri gasta bromas, sonríe mucho (le salen arrugas en la cabeza cuando sonríe) y trata de que yo esté a gusto. Pero yo no le sigo la corriente, sé que hace lo mismo con todos sus pacientes, para que no se preocupen, ¡no porque yo le sea más simpático que los demás!

Hoy me ha explorado (como hace por lo menos tres veces al año), me ha medido la pierna a lo largo y a lo ancho, me ha hecho caminar, me ha pedido que la doblara y me ha mandado unas radiografías. Al final no sonreía. Cuando se ha dado cuenta de que lo estaba mirando, entonces sí ha vuelto a sonreír, pero no parecía muy convencido.

–¡Bueno! –ha dicho–. Continúa haciendo los ejercicios para el alargamiento de los tendones, ¡por favor!

Mamá enseguida ha respondido que sí. Yo no he dicho nada porque odio los ejercicios para el alargamiento de los tendones y, además, me hacen daño.

–Nos vemos en unas semanas –ha concluido–. Cuando tengamos el resultado de las radiografías, ¿ok?

–De acuerdo –ha dicho mamá.

Yo no he respondido.

Esta noche, cuando papá ha preguntado qué tal con el ortopedista, mamá ha dicho enseguida:

–Bien. Solo tenemos que hacer un par de placas de control.

¿TENEMOS? En realidad, es a MÍ a quien tienen que hacerle las placas. Y si hay que operarse, seguiré siendo **YO** el que tenga que ir al hospital. Y es **MÍA** la pierna que no funciona bien. Y es a **MÍ** a quien le duele.

–Bien –ha repetido papá.

Yo le he mirado y no he dicho nada.

Él me ha sonreído. La misma sonrisa cansada del doctor Turri al final de su visita.

A veces pienso que el doctor Turri no dice toda la verdad; y mis padres, igual. Sé que ellos quieren que me opere, para tratar de arreglarme la pierna. Pero no tienen el valor de decírmelo.

Y yo no tengo el valor de hacerlo.

TENGO UN ÁLBUM DE FOTOS.

Todos tienen un ÁLBUM de fotos, creo. El mío tiene las tapas de color azul y está arriba, en la librería de mi cuarto. Hay fotos desde que nací hasta el año pasado, cuando hicimos la foto de la clase, al final de primaria.

En realidad, papá tiene la mayor parte de las fotos en el ordenador, porque a estas alturas ya no hay casi nadie que haga fotos de esas que se pueden sujetar con las manos. Por eso sé que este ÁLBUM con las tapas azules es el primero y el único de fotos auténticas que tendré.

A veces lo bajo de la librería y lo miro.

Encima está escrito:

Dentro hay fotos de cuando iba en tacataca, o en brazos de mamá, de cuando íbamos a la playa y nadaba con bracitos (eso era mucho mejor que estar en la piscina con Joroberto), con un cucurucho de helado medio espachurrado en la cara, mientras doy de comer a unas palomas en una plaza muy grande, en los caballitos del parque de atracciones, en la guardería, el primer día de infantil, y muchas más. Mis favoritas son las fotos en las que estoy muy pequeño, porque no se ve la pierna torcida y todavía no llevo gafas.

Y luego está la foto de la clase, de justo hace un año. Es la última del ÁLBUM, esa en la que yo estoy entre Casagrande y Da Lio y sonrío feliz.

Si fuera posible, me gustaría entrar en esa foto y volver a aquella clase, donde yo era uno más.

EXPERIMENTO DE INVISIBILIDAD NÚMERO 4

En la clase de arte me he quitado el implante coclear. Luego me he concentrado en la página del libro que tenía sobre el pupitre. Había una foto de un mosaico romano y me he imaginado vestido de romano, paseando por encima de ese mosaico. Quería probar a hacer lo mismo que el otro día en el patio, durante el recreo: desaparecer.

Durante un rato, ha funcionado porque la voz del profesor Palma sonaba cada vez más débil y lejana hasta que ha desaparecido.

De pronto, he levantado la cabeza y me he dado cuenta de que ¡en la clase no había nadie!

Lo primero que he pensado era que me había

concentrado tanto que había hecho desaparecer a todos los demás. Luego he salido al pasillo y allí tampoco había nadie. Ni Gino, el bedel. El corazón me ha comenzado a latir más fuerte. ¿Habría hecho desaparecer la raza humana completa?

He vuelto a clase y me he sentado en el pupitre. He pensado que igual habría hecho desaparecer incluso a mi familia, en un exceso de concentración, y me he sentido mal. Así que he encendido el implante de nuevo y me he concentrado, por decirlo de algún modo: al revés.

Algo después, he oído un murmullo y la voz del profesor Palma que emergía, como desde una caverna.

Mis compañeros y el profesor entraban en la clase.

Por un momento he creído que mi teoría, esa de que cuando te concentras mucho en una cosa esa cosa NO sucede, era errónea. Estaba demostrando lo contrario, ¡que el pensamiento podía condicionar los sucesos! Ya me veía de traje y corbata, recibiendo el Premio Nobel o algo así mientras todos susurraban: «*¿Quién iba a imaginarse que ese pobre fracasado fuera un genio?*», cuando he oído la voz del profesor Palma que decía:

—¿Ya estás aquí, Stanghelli? Bien. Ahora, sacad los cuadernos. Quiero una bonita descripción del mosaico que acabáis de ver en la biblioteca.

Biblioteca, ¿qué biblioteca?

Habían ido a la biblioteca a ver un mosaico romano hecho por los alumnos del último año de secundaria y me habían dejado allí, se habían olvidado de mí prácticamente, o sea, había sido yo el que no me había dado cuenta de que se habían marchado.

Todos se han puesto a escribir, salvo yo que me he pasado media hora pensando cómo era posible que me hubiera creído que había hecho desaparecer la raza humana con la sola fuerza de la mente. Al final, mi cuaderno se ha quedado en blanco.

CONCLUSIÓN: a veces, siendo invisible, acabas ganándote un insuficiente.

Mamá me está llamando porque es hora de comer, pero tengo que anotar algo IMPEPINABLEMENTE.

Hoy, al volver del colegio, me he bajado del 12 y he tomado el camino de siempre, el que pasa JUNTO al muro de Villa Feliz, una vieja casa deshabitada desde hace un montón de años. El muro está lleno de letreros pintados y yo, mientras camino, a veces los leo. No comprendo nada, en el sentido de que la mayor parte de las veces se trata solo de letras o de nombres, del tipo:

O también hay frases como:

OLEG EXISTE

DAIS ASCO – TODOS LOS LADRONES

ESPACIO LIBRE

Y otras frases que no puedo repetir en este diario (no por los policías, sino por mis padres).

Todos estos letreros los escriben los **GRAFITEROS,** chicos con aerosoles de pintura.

Resumiendo, caminaba pensando en mis cosas (sobre todo, en el 4 que me había ganado por la redacción de arte) cuando me fijo en un texto que no había visto nunca y que me hace detenerme de golpe (¡¡¡y un poco más y se me para el corazón por la sorpresa!!!).

En realidad, era una letra sola.

Tengo que ir a comer (mamá ya me ha llamado tres veces, y si no voy corriendo a la cocina, se pone como una furia).

¡YA ESTOY DE VUELTA!

La letra era la D.

Pero no una simple D, ¡¡¡sino una D con florituras voladoras!!!

La he mirado ***100*** veces ***100*** para estar seguro, porque a veces el cerebro puede gastarte malas pasadas.

Pero no era cosa de mi cerebro, era justo esa letra, hecha igual que la del cómic, con las mismas florituras. ¡Y yo que casi me había olvidado de él! Para no equivocarme, he ido a comprobarlo. Sí, la D era justo LA MISMA.

Mañana, cuando pase de nuevo, haré una foto con el móvil.

¡¡¡VAYA LOCURA!!!

¡¡¡¡¡Realmente una auténtica locura!!!!!

Esta mañana he salido de casa cinco minutos antes para ir a ver la D en el muro de Villa Feliz. Me he plantado allí delante y he esperado a que no hubiera nadie, porque me jorobaba que me vieran fotografiando una pared, igual pensarían que estaba loco o algo por el estilo. Por fin he hecho la foto y mientras le daba al botón me he dado cuenta de que arriba, justo a la izquierda, **FALTABA UN LADRILLO**. Bueno, no hay nada raro en el hecho de que falte un ladrillo, pero en el agujero que estaba en el lugar del ladrillo, he visto un trozo de papel enrollado, como el mensaje de una botella.

He intentado alcanzarlo, pero estaba muy alto y no llegaba. Así que he usado la muleta (controlando que nadie me viera) y, aunque con alguna que otra dificultad, he logrado sacar aquel trozo de papel.

¿Sabéis lo que era?

ERA…

¡¡¡¡¡¡¡Otro cómic de DRAGON BOY!!!!!!!

Alguien lo ha puesto allí, en ese agujero, donde está la letra D.

El cómic se titula

Me falta espacio,

me voy a la otra página →

¿¿¿No es una pasada???

Me lo he metido en la mochila y me he ido al colegio casi corriendo (por decir una chorrada) de la emoción.

Durante todas las clases, no he hecho otra cosa que tratar de resistir la tentación de sacarlo fuera y leerlo. Pero no quería que LOS OTROS lo vieran o me lo quitaran.

En el recreo me lo he metido en la manga de la sudadera y me he ido al lavabo. Pero cerca del lavabo estaba el Gigante, que, en cuanto me ha visto, se ha dirigido hacia mí. Entonces he dado media vuelta y me he encontrado frente a Nerini y Labranca, que, fijando la vista en el bollo de mermelada que había sacado de la máquina automática, han dicho en el acto:

—¿No invitas?

Y yo:

—Bueno.

Y ellos:

—¡Chicos, Stanghelli invita!

En un nanosegundo veinte manos se han tirado sobre el bollo y al final me he quedado solo con el celofán del que colgaba un pelo. El bollo se había volatilizado ¡como se TELETRANSPORTAN las cosas en *Star Trek*!

Cuando he entrado en clase, he visto a Marietto, que comía su bocadillo de beicon, y a otros dos compañeros. Me he sentado en mi sitio justo en el instante en que entraban Ronchese y Serracchiani (Paolini no había venido hoy) riendo como imbéciles. Yo les he dejado hacer, no me importaba. Seguía pensando en el autor de aquel **FANTÁSTICO CÓMIC.**

De vuelta a casa, he mirado en el agujero del muro de Villa Feliz, pero no había más cómics ni otras cosas.

Ahora, basta de escribir porque tengo que leer…

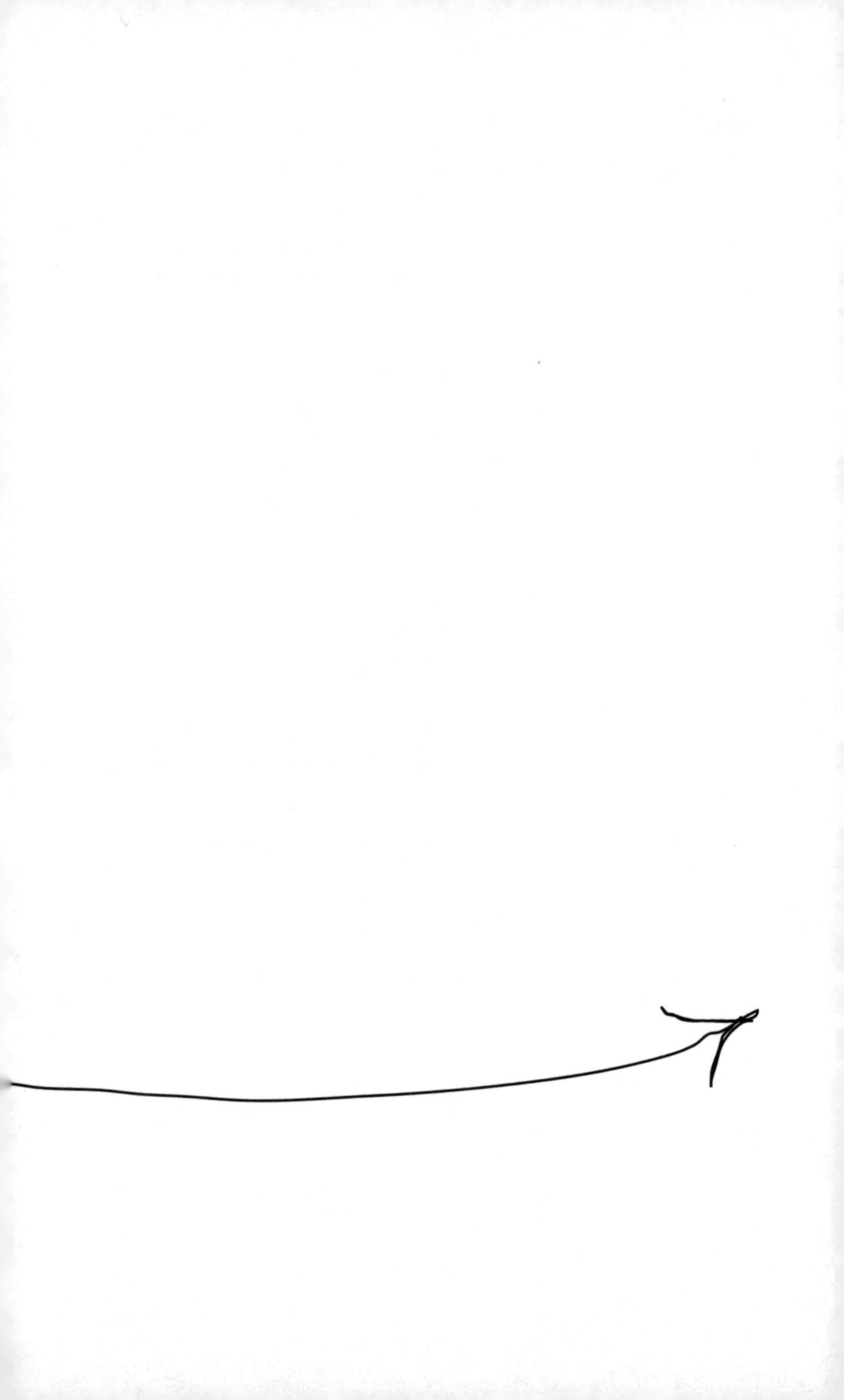

DRAGON BOY
AMENAZA ESPACIAL

GUAU

EN EL CIELO SOBRE LA CIUDAD APARECEN EXTRAÑAS ASTRONAVES.

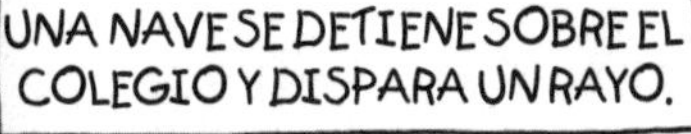

AHORA VAMOS A DEGUSTAROS, PEQUEÑOS, DELICIOSOS TERRÍCOLAS.

¡NO MIENTRAS ESTÉ YO AQUÍ!
NUESTRO HÉROE
PLAF
¡¡¡ES DRAGON BOY!!!
Pero ¿cómo consigue llegar siempre a tiempo?
¡TOMA!
TCJOK
¡AUUU!
Y TÚ, ¡QUIETO!
¡BLUARC!
SPLORCH
¡IIIIIIIHHHH!
ZOT
ZOT
ZOT
¡HEY!
KRACKKE
¡GHHFSS!
¡SON MUCHÍSIMOS!
¡HACE FALTA UN POCO DE CALOR!
WOOSH

¡Y AHORA LAS ASTRONAVES!

WOOOSH

BZZZZZOOOOT
BOOM

BZO
BZOT
BZOT
BOOM
BOOM
BOOM
BOOM

KA BLAM
¡PERFECTO!

¡QUÉ GRANDE, DRAGON BOY! NOS HA SALVADO, PERO ¡NO ENTIENDO CÓMO HA LLEGADO TAN RÁPIDO!
LO SABES, ¡ES UN HÉROE!

¡W DRAGON BOY!

Estos últimos días lo pienso CONTINUAMENTE. Pero es que me siento un poco culpable. Se me ocurrió que quizá el autor del cómic habría escondido sus dibujos en la pared para **REGRESAR** después a buscarlos y yo me los **LLEVÉ.** Tal vez fuera su escondite supersecreto y yo lo estropeé todo. Pero no quiero meter el cómic en su sitio de nuevo. Es demasiado chulo. Y podría llevárselo otra persona, además.

He decidido escribir una nota, que meteré en el hueco de la pared.

La nota dice:

Querido autor del cómic Dragon Boy:
¡¡¡Eres genial dibujando!!! Encontré el cómic y lo leí. ¿Puedo quedármelo? También tengo el otro, el que estaba en la papelera. ¿Puedes decirme quién eres? Así quizá me enseñes a dibujar tan bien como tú.

MAX

DOMI HIZO UN EXAMEN y le pusieron un 28. Ponen unas notas muy raras en la universidad. Bueno, el caso es que Domi me dijo que un 28 es como un 9.

¡¡¡¡QUÉ HACHAAAA MI HERMANA!!!!

Para celebrarlo, nos fuimos todos a comer

PIZZA.

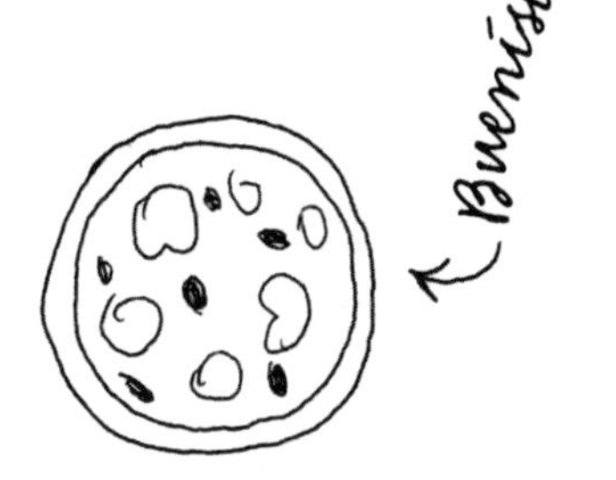

Yo comí mi pizza preferida: de salchicha de Frankfurt y patatas fritas.

Y bebí zumo de naranja.

Otras pizzas que me gustan:

- jamón y salchicha,
- beicon y queso brie,
- mozzarella y tomatitos.

El domingo faltó poco para que le enseñase a mi hermana los cómics de Dragon Boy, pero finalmente decidí NO hacerlo.

No sé, tengo miedo de que me diga que me equivoqué quedándomelos, algo así como que los he ROBADO. Así que le di vueltas un rato, tanto que ella debió de sospechar porque de pronto me preguntó:

–Max, ¿tienes algo que decirme?

–No, creo que no.

–¿Seguro?

–Segurísimo.

–Entonces, ¿me puedo ir a la cama? –efectivamente, yo estaba apoyado en la puerta y ella iba ya en pijama.

–Vale –respondí.

Me di la vuelta para irme a mi cuarto y ella me agarró por detrás y me aupó muerta de risa, igual que hacía cuando yo era pequeño.

–¡Madre mía, lo que pesas! –dijo bajándome.

Pensé que crecer también es esto, que ya NO te cojan en brazos. Y me dio un poco de pena.

Al lado de la cama estaba la maleta, ya preparada para la mañana siguiente. Los lunes, a las siete, Domi toma el tren para regresar a la universidad.

Cuando está en casa, el tiempo **VUELA.**

Cuando se marcha, no pasa **NUNCA.**

Y el lunes siempre estoy un poco triste porque sé que no volveré a verla hasta el viernes.

Algunas veces espero toda la semana a que llegue ella y los días intermedios no me importan ni un pepino. Luego, cuando viene a casa, no me da tiempo a enterarme de que está aquí y ya tiene que irse. No sé si mamá y papá echan tanto de menos a Domi. Nunca se lo he preguntado.

A lo mejor, porque no soportaría que me dijeran que SÍ. Aunque tengo la sospecha de que ellos, ahora mismo, añoran mucho más al último que ha llegado, Pablo, ese crío chupatetas.

Antes de dormir, releo el último Dragon Boy, que es ¡BUENÍSIMO! ¡Espero dormirme y soñar con las aventuras de Dragon Boy!

RONF RONF

Caer en un sueño es parecido a meterte en un cómic, en el sentido de que estás en un sitio que no es en el que estás normalmente. Y eso es bueno si el sitio en el que estás normalmente no te gusta tanto.

HAN PASADO TRES DÍAS y mi nota sigue allí.

Quizá el autor del cómic está enfadado conmigo y no quiere responderme. Sigo preguntándome:

¿POR QUÉ ESCRIBIÓ LA D
DE DRAGON BOY?

Si el cómic tenía que seguir escondido, ¿no hubiera sido mejor no escribir nada?

O ¿quería que alguien lo ENCONTRASE?

¿Y por qué la primera vez lo tiró a la papelera de la sala de profesores?

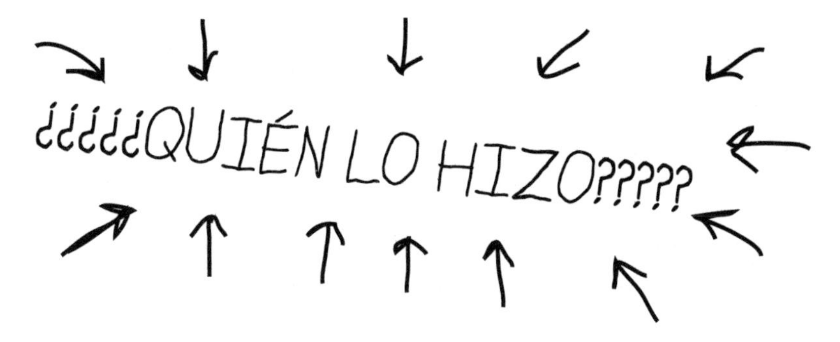

¿Un profesor? ¿O un alumno y se lo quitaron? ¿O estaba en el suelo y alguien lo recogió sin más?

O O O O O O O O.

Tengo la cabeza llena de preguntas y ninguna respuesta.

Solo quisiera que respondiera a mi nota.

Hoy por la tarde estaba navegando por Internet y DEBORAH me ha descubierto. ¡SOCORRO!

¿Estás ahí?, ha escrito.

Estaba. Así que he respondido: Sí.

Y ella: ¡¡¡¡Hola!!!! Con las típicas caritas.

¿Qué estás haciendo?

Y yo: Estoy delante del ordenador.

Ella: ¡Lo sé! ¿Pero qué estabas haciendo antes?

ANTES, ¿cuándo?

Antes de estar delante del ordenador.

Quería responder algo genial y no las típicas cosas sosas, como «comía», «veía la tele», «me estaba metiendo el dedo en la nariz», «ayudaba a mi madre a recoger la mesa». Así que he escrito: ESTABA CONSTRUYENDO LA MAQUETA DE UN BARCO.

Y ella: ¡¡¡¡Qué fuerte!!!! ¿Cómo se hace?

Y yo le he explicado cómo se hace porque a fuerza de ayudar a papá algo he aprendido.

Resumiendo, hemos estado hablando un ratito.

Mientras, yo miraba la foto de su perfil y mi opinión sobre Deborah ha pasado de maja a MAJA ++.

Al final, ¡hemos estado más de 1 hora 1!

Ayer aprendí a tocar FRAY SANTIAGO con las bandas de goma de mi aparato de dientes. Es algo como para que te saquen en la tele, en un programa de esos de talentos. A lo mejor lo pruebo y me hago famoso.

¡NOOOOOOO! JAMÁS tendría el valor de hacer una cosa así en público. ¡¡¡Y en la tele!!!

–Deja estar el aparato –dijo mamá saliendo de la cocina–. Que cuesta un ojo de la cara y si se rompe la tendremos.

NADA de programa de talentos.

En medio del silencio de la casa, mis bandas de goma sonaban como una guitarra eléctrica.

Se acabó Fray Santiago. Tendré que probar con algo más fuerte.

Puede que el rap funcione con las bandas de goma.

Tal vez algo de Jovanotti, que es el cantante preferido de Domi, ¡así ella estaría contenta!

Hoy en el cole la profesora Ferri me ha preguntado otra vez si iba a participar en el musical.

Yo la he mirado a los ojos, haciéndome el duro, y he respondido un NO rotundo, como los de mamá cuando le pido quedarme levantado hasta tarde.

. . .

. . .

No es verdad.

HUBIERA querido responder NO, pero no me he atrevido. En realidad, he dicho:

—No sé, profe. Ya veremos.

Como el «no sé, ya veremos» de papá cuando no quiere decirme que no, pero ya sabe que será un no.

Tal vez una parte de mí querría participar en ese MALDITO musical. Pero otra parte de mí no quiere porque le da vergüenza. Como si fuéramos dos Max.

Podría proponerle tocar las bandas de goma durante el intermedio.

FRAY SANTIAGO, ¿DUERME USTED?

¡¡¡Imagínate!!!

¡¡¡¡¡ANTES MUERTO!!!!!

BALONAZO EN PLENA CARA, que si se me llega a salir una de las bandas, muero ahogado allí mismo, delante de todos los compañeros y del profesor Accardi.

Ni siquiera estaba jugando. Estaba en la línea de banda, contabilizando los puntos del partido de voleibol. Porque contabilizar los puntos es una responsabilidad importante (eso dice el profe para convencerme de que valgo para algo). Y, además, éramos impares y para hacer dos equipos uno tenía que quedarse fuera a la fuerza y suelo ser YO.

El caso es que las gafas han terminado al

otro lado del gimnasio y el implante coclear, también. Es una suerte que no se hayan roto; si no, mi madre la hubiera armado buena...

El balonazo me ha llegado (¡qué raro!) directamente de Ronchese. Yo creo que ha apuntado con un teleobjetivo justo sobre mi **CARA.**

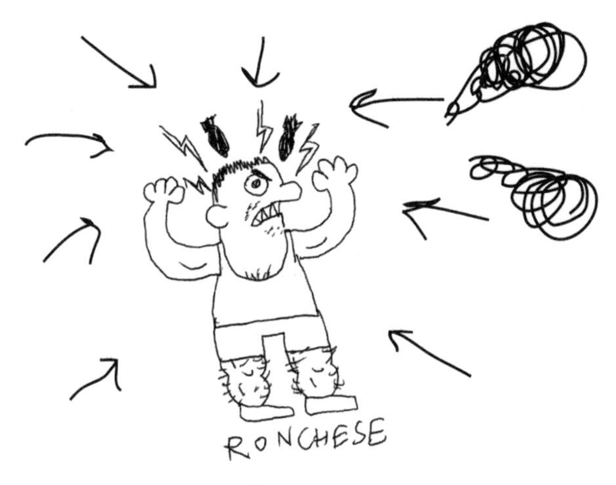

He salido **VOLANDO** del banco donde estaba sentado y, aparte del profesor Accardi, que se ha limitado a decir «Roncheeeeese» (que no vale para nada), todos los demás han estallado en risas.

Sara ha corrido a preguntarme cómo estaba y yo he dicho que bien, aunque no estaba bien, solo para quitármela de encima. Luego, Gino, el bedel, me ha traído hielo instantáneo y me lo he puesto en la nariz durante una media hora larga, hasta que ha terminado el partido. El profesor, con esa vocecita que tiene, que te da ganas de dormir, ha dicho que lo sentía. Y que Ronchese no lo había hecho **A PROPÓSITO.**

Sí, claro. ¡¡¡¡¡Y yo voy y me lo creo!!!!!

–Era una acción normal de juego –ha dicho el profe.

Qué lástima que mi CARA no formara parte del CAMPO de juego. Ni de las líneas.

Ronchese y los demás se han reído a mis espaldas durante todo el resto de la mañana.

De pronto, he pensado que hubiera estado bien que viniera DRAGON BOY. Se les hubieran pasado las ganas de reír a todos esos. ¡Igual la hubiera emprendido a balonazos con ellos! O los hubiera carbonizado con su MEGAMIRADA TÉRMICA o con su MEGALANZALLAMAS ATÓMICO.

Casi, casi me pongo yo a escribir un cómic.

No, mejor no.

A propósito de cómics, mi nota del muro ha desaparecido. Pero qué sé yo, tal vez se haya volado con el viento.

O la haya empleado un pájaro para hacerse el nido.

O se la haya llevado un ratón.

Vete a saber.

Mamá se ha tirado **10** horas **10** con Carolina al teléfono. Cuando ha colgado, tenía la oreja del color de una ciruela.

–Era tu hermana –ha dicho–. Fíjate, ¡Pablo se ha sentado derecho!

¡GUAU!

Lo ha dicho como si fuera algo increíble, una cosa de esas que sale en las primeras páginas de los diarios y en las noticias de la tele. Pero es algo normalísimo, que hacen todos los niños del mundo en todas las partes del mundo. O, por lo menos, eso creo.

Cuando Pablo hace cualquier cosa (la mayor parte de las veces son cosas **ABSOLUTAMENTE** normales para alguien de su edad), parece siempre que haya hecho algo excepcional, irrepetible, único.

–Pero, bueno –dice mamá–, ¡no me digas! ¡No me lo puedo creer! ¡Repítemelo otra vez! ¡Qué mono!

Y luego va a contárselo a papá (a veces le telefonea al trabajo) y él, sin dejar de hacer lo que está haciendo (maquetas de barcos, periódico, ducha u otra cosa), exclama:

–¡INCREÍBLE! ¡UNA LOCURA! ¡EXTRAORDINARIO!

Yo también debí de hacer esas cosas, ¿no? Y Domi y Carolina. ¡Pablo no va a ser el primer niño del universo! Quién sabe si mamá y papá se ponían tan nerviosos por nosotros.

Bueno, a decir verdad, yo cuando tenía la edad de Pablo no me sentaba derecho solo, por el asunto de la espalda. Hay fotos en las que llevo una especie de corsé, un artefacto que me mantenía recto. Y, además, empecé a hablar con un poco de retraso, por culpa del oído. Y después del colegio, mientras los otros niños jugaban o veían la tele, yo pasaba el tiempo con la logopeda, para aprender a decir bien las palabras. Y para caminar siempre he necesitado un apoyo.

En cualquier caso, aparte de esas cositas de nada, por lo demás yo también hacía lo que hace mi sobrino. Comía papillas, lloraba, dormía, llenaba los pañales con quintales de caca apestosa y amarillenta, y decía: «Mamá» como si tuviera patatas en la boca. ¡No tiene nada de excepcional!

A veces Carolina llama preocupada a mamá (también en plena noche), porque el color de la caca de Pablo no le convence. A continuación, se produce un largo debate sobre cacas infantiles.

En estos últimos meses yo me he hecho todo un experto en cacas infantiles.

¡¡¡ESTÁ NEVANDO!!!

¡¡¡¡¡A LO MEJOR HOY, después de clase, haré un muñeco de nieve!!!!!

—Copos pequeños y helados —ha dicho papá tras sacar la mano por la ventana. Luego ha añadido que la nieve helada es **MUY** peligrosa porque provoca un montón de accidentes. Ha dicho también que lleva escritas cientos de informaciones, gracias a días como este.

Y, en efecto, nuestro autobús se ha resbalado en una curva y ha acabado chocando contra un árbol en medio del caos del tráfico ciudadano de las **7.45.** He estado a punto de contarle al chófer que precisamente mi padre me había dicho esta mañana que hoy sería peligroso conducir y que a lo mejor escribía un artículo sobre el asunto, pero parecía ya bastante nervioso y me he quedado callado.

Como ya estábamos muy cerca del cole, casi todos se han ido a pie.

Yo me he bajado el último y, mientras superaba los peldaños, he visto a una viejecita con una muleta casi igual a la mía que se había caído al suelo por culpa del hielo. Alguien la ha ayudado a levantarse, pero su muleta se ha roto.

–¿Quiere la mía? –le he preguntado casi sin pensarlo.

–¿Serías tan amable? –se ha sorprendido ella.

–Sí.

Y se la he dado.

–Vivo aquí cerca –ha dicho–. Voy a casa y te la devuelvo con mi hijo.

Me he sentado en la acera, a esperar. Eran las 8.05 y las clases estaban a punto de empezar.

Entretanto, han llegado los guardias municipales, para tomar medidas con un metro, anotar y fotografiar.

Uno me ha dicho:

–Oye, niño, ¿te puedes quitar?

Me he apartado. Pero él, un rato después, me ha preguntado:

–¿Qué haces aquí? ¿Por qué no te vas al colegio?

–Estoy esperando que la viejecita me traiga mi muleta.

–¿Qué viejecita?

–La que se ha caído.

–¿Y ahora dónde está?

–En su casa, creo. Tiene que acompañarla su hijo.

–¿Acompañarla adónde?

–¡Aquí!

Él se ha quitado la gorra y se ha rascado la cabeza. ¡Creo que no había entendido ni jota!

Pasaba el tiempo y, al final, solo estábamos el conductor y yo. Todos los demás ya se habían ido.

El conductor se ha sentado a mi lado, en la acera. Nos hemos quedado allí un rato, cada uno mirando al frente, sin decir nada.

Luego ha llegado otro autobús.

–Yo me subo a este. El mío vendrá a buscarlo la grúa. ¿Vienes?

He hecho signo de que no.

–¿Puede decirme qué hora es? –le he preguntado.

–Casi las nueve.

Llegados a ese punto, con muleta o sin muleta, con viejecita o sin viejecita, me he encaminado al colegio yo también.

He llegado a clase, cojeando, a las 9.25 y el profesor Pirro ha comentado:

–Con la excusa de la nieve te lo has tomado con calma, ¿eh, Stanghelli? ¿Qué? ¿Te has quedado durmiendo en la cama? ¡Y, mientras, tus compañeros, trabajando!

En casa, nada de muñecos de nieve. La nieve ya se ha derretido y en el suelo solo queda agua sucia.

Además, mientras volvía a casa me he resbalado con ese barro oscuro y me he manchado los pantalones, que eran **NUEVOS.**

A la hora de la cena he contado la historia de la viejecita y de la muleta.

–Has hecho bien –ha dicho mamá–. ¡Buen chico!

Luego, le he preguntado a papá si por casualidad quería escribir un artículo sobre el accidente del autobús, pero él me ha contestado que no podía perder tiempo con esas cosas tan normales porque últimamente estaba muy ocupado con su investigación y, de hecho, después de cenar, iría a trabajar al ordenador.

–¿Qué investigación? –ha preguntado mamá.

–Sobre los residuos. Ecofraude. Hay gente que se está lucrando con la recogida selectiva –ha contestado él–. Ilegalmente.

–¿Y tú tienes pruebas?

Era como si estuviera escuchando una conversación entre el doctor Watson y Sherlock Holmes.

–Estoy buscándolas –ha dicho papá, y estaba muy serio, como un policía que sigue las pistas de un delincuente.

NO SÉ CÓMO ERA ir al colegio en tiempos de mis padres. A lo mejor, como ahora. O a lo mejor, no.

Probablemente ellos no tenían los problemas que tengo yo; bueno, eso SEGURO. Me refiero al Gigante y a todos los demás.

A veces me imagino a mis padres de niños: van al colegio, regresan a casa para comer, hacen los deberes, juegan, sus padres los regañan, se duchan, se ponen el pijama, se van a la cama tal vez remoloneando porque quisieran quedarse levantados para ver la tele un rato. Pero no lo consigo. Veo niños, pero no son para nada mis padres de pequeños.

Es como si mis padres hubieran sido siempre mayores. Siempre iguales a como los veo desde que nací. Es imposible imaginarlos pequeños.

Aunque me esfuerce, no lo consigo. Por eso, cuando mamá o papá me dicen que entienden algo porque ellos también han sido jóvenes, yo digo que sí con la cabeza, pero por dentro digo que no, porque no me lo creo del todo.

Y, además, aunque admita que ellos han sido niños, con sus juegos, sus pijamas, sus lloriqueos y todo lo demás, ellos no eran PARA NADA como yo y no creo que sepan qué significa ser COMO YO.

Y no tengo la energía ni las palabras para explicarlo porque a veces ni yo mismo entiendo cómo es ser como yo; esas veces, me da la sensación de que tengo una gran confusión en la cabeza, como un huracán, un torbellino de aire que lo levanta todo, remueve todas las cosas y ya no hay nada en orden.

Como las cartas de un mazo.

HE PASADO UNA NOCHECITA LLENA DE PENSAMIENTOS EXTRAÑOS y de *PESADILLAS.*

Me he despertado TORCIDO (como dice mamá), o sea, de mal humor.

A veces, me pasa. Es casi como si no fuera yo, el Max que conozco. Contesto mal o no contesto nada y todo me molesta, hasta el TICTAC del reloj de péndulo del recibidor o el color de las paredes o la galleta que flota en la leche. **TODO.**

El resto del día ha ido así, es decir, **MAL.**

Hasta que, al volver a casa, me he encontrado en el hueco ¡¡¡un nuevo cómic!!!

¡¡¡Eso me ha cambiado el día!!!

TIC TIC TAC TIC TAC TAC

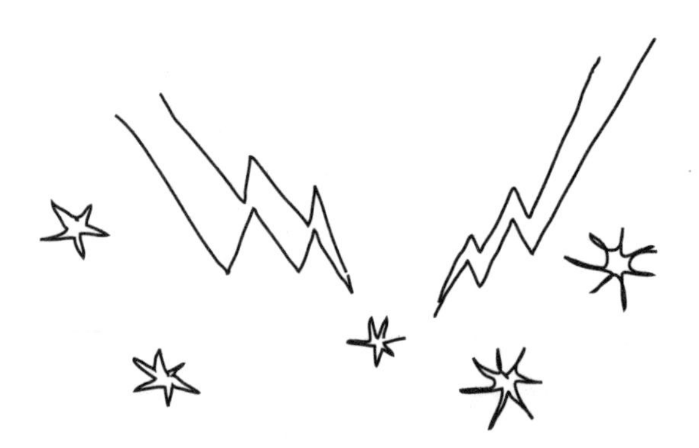

DRAGON BOY

EL SEÑOR DE LOS HIELOS

¡El título es superfuerte!
¡Me lo voy a tragar de una sentada!

DRAGON BOY
EL SEÑOR DE LOS HIELOS

UN COLEGIO COMO TANTOS EN UNA CIUDAD COMO TANTAS.

UN CHICO COMO TANTOS SIGUE LA CLASE.

SKREEEKK
SBRAMM
AYUDAAA
AARRGH

SKRIIK

DISCULPE, PROFE, TENGO QUE IR AL LAVABO.
SKREEK

¡AQUÍ HAY PERSONAS EN PELIGRO!

¡Y SOLO UN HÉROE PUEDE DEFENDERLAS!

UN VIENTO GÉLIDO CORRE POR LAS CALLES.
UUIISSHHH
Tooodo cubierto de nieve

CONGELANDO TODO LO QUE ENCUENTRA.

PERO NO ES UN VIENTO NORMAL.

PROVIENE DE UNA CRIATURA MONSTRUOSA CONOCIDA COMO EL TERRIBLE SEÑOR DE LOS HIELOS.
UUIISHHH
UN GRUPO DE PERSONAS SE QUEDA BLOQUEADO DENTRO DE UN AUTOBÚS.
Congelado
44 BARRATO
UUIIISSH
¡UH! ¡AH! ¡OS CONGELARÉ A TODOS!
¡DETENTE, MONSTRUO!

¡CONGELADOS!
¡PRIMERO TENDRÁS QUE PILLARME!
SKRAKAKATRAK
ECESITAS MÁS QUE UN UÑECO DE NIEVE PARA DETENERME!
GRRRRR
¡MUY LENTO!
¡UARGH!
THUMP
¡AAAEGHH!
¡TE TENGO!
¡NO!
¡UURRRRGH!
¡AYUDA!
¡AYUDA!
KRONK
¡OUCH!
Esto duele.

¡MALDICIÓN!
¡CADENA DE HIELO!
SKKRIKKK
¡SOLO MIS DIENTES DE ACERO PUEDEN ROMPER ESTE HIELO!
KRANG
¡TE TENGO PREPARADO UN CALDITO!
¡Vaya dientes!
¡TOMA ESTO!
SHHFTOOO
¡NOOOO! ¡ME ESTOY DERRITIENDO!
SGLUSH
¡Y AHORA LIBEREMOS A LOS PASAJEROS!
¡YUHU!
WOOMF
¡GRACIAS, DRAGON BOY, POR SALVARNOS DEL SEÑOR DE LOS HIELOS!
¡GRACIAS!
¡AHORA MÁS BIEN ES EL SEÑOR DE LOS CHARCOS!
¡MALDITO SEAS! ¡VOLVERÉ!

¡DRAGON BOY ES UNA AUTÉNTICA PASADA! ¡Tendrían que hacer una peli o una serie de dibujos animados!

Lo que me gusta de Dragon Boy es que es ***NORMAL,*** está en el colegio sufriendo como todos, y al momento siguiente se transforma en un ***SUPERHÉROE.*** Hace lo que hace todo el mundo, pero en secreto es un ***¡SUPERHÉROE!*** Al estilo de Spiderman o de Superman.

Otra cosa maravillosa es que cambia siempre la letra del título, ¡según la aventura! ¡A mí también me gustaría dibujar así!

Ahora está Deborah en línea.

Si en los diarios hay que ser sinceros, me toca confesar que, al entrar, en el fondo fondo, esperaba encontrármela.

Deborah me dice, más bien me ORDENA, que quite esa estúpida foto del niño con gafas y le muestre cómo soy de verdad. Sí, ¡con muleta y aparato de dientes incluido! Y, además, abajo escribiré:

HABLAR ALTO QUE,
SI NO, NO OIGO.

Un buen sistema para que salga huyendo.

Podría poner la foto del rubito de la I B, ese que les gusta a todas las chicas del cole. ¡Ya sé! Le fotografío a escondidas con el móvil y luego pongo su foto en mi perfil.

No, no se puede. Si me descubren, **SE ARMA.**

Así, que vuelvo a simular que no me entero y para distraerla le cuento una trola, que he visto un accidente tremendo desde el autobús y que, por suerte, he podido advertir al conductor a tiempo. Si no, no sé qué desgracia habría podido suceder.

Ella me dice que soy un tipo interesante porque me pasan cosas interesantes. Luego, las caritas de siempre.

Un día de estos le hablaré de Dragon Boy.

AUTOR DE DRAGON BOY, ¿QUIÉN ERES?

Hoy en el colegio, sospechaba de todos. Me refiero a que, a cada persona que me encontraba, me preguntaba si podría ser el dibujante de Dragon Boy. ¡Y en la calle, también! Habrán pensado que me falta un tornillo.

Cuando me he quedado mirándolo, el rubito de la I B me ha mirado con cara de «¿Y tú qué miras?». Si supiera que estuve en un tris de poner SU foto en MI perfil…

Ronchese también me ha mirado mal y luego me ha preguntado:

–*¿Qué demonios te pasa hoy, Andy? ¿Se te ha atravesado el aparato de los dientes?*

Y Serracchiani se ha tronchado de la risa.

Al Gigante, en cambio, no me lo he quedado mirando, a él no, no se puede. Lleva escrito en la frente: PELIGRO DE MUERTE. Como en los postes de electricidad. **¡QUIEN LOS TOCA SE MUERE!**

Y, además, ¿quién se imagina a esa especie de trol dibujando cómics tan maravillosos como los de **Dragon Boy**?

A tercera hora teníamos a la Ferri, la de música, sí, la del musical. Como sé que le gusta hacer los carteles y los dibujos de las cosas que necesita para sus espectáculos, me he preguntado si no sería ella el autor misterioso. ¡Nooooo! Y, además, ¿por qué iba a tirar a la papelera de la sala de profesores un dibujo suyo?

–¿Estás pensando en aceptar mi proposición? –me ha dicho de pronto.

–¿Eh? –he respondido porque prácticamente no la estaba escuchando.

–Entonces, ¿qué? ¿Eres de los nuestros? ¿Participarás en el espectáculo de fin de curso?

He oído unas risitas y no he necesitado mirar a nadie para saber de qué zona procedían.

–Veremos –he dicho mientras me ponía como un tomate.

Si es cierto que quiero ser **INVISIBLE**, ¡¡¡lo peor que puedo hacer es ponerme a la vista de todos participando en un musical!!!

Menudas ideas de bombero que tiene la profesora Ferri. ¿Pero quién le manda organizar esas estúpidas representaciones de niño pequeño?

Al final de la clase, ha entrado Gino, el bedel. Llevaba en la mano una cosa larga envuelta en papel de periódico y un paquete con un lazo rojo.

–Esto es para Stanghelli –ha dicho dejándolo todo encima de la mesa del profesor.

Mis compañeros sentían curiosidad, pero yo sabía de qué se trataba.

–¿Qué es? ¿Una escopeta? –ha bromeado Ronchese.

–¡Una caña de pescar! –ha gritado Nerini.

–Ánimo, Max –ha dicho la profe–. Ábrelo.

En el paquete largo estaba la muleta, que la viejecita se dignaba devolverme por fin. Y en el del lazo, bombones.

Cuando he abierto la caja, Ronchese, Nerini y Labranca se han tirado encima como posesos.

—¡Eh, chicos, Stanghelli invita!

Resultado = cero bombones para mí.

JURO QUE SI DRAGON BOY estuviera en venta, no dudaría ni un segundo en gastarme el dinero comprándolo.

¡¡¡¡¡¡ES UNA AUTÉNTICA PASADA!!!!!!!

He escrito otra nota para el autor de Dragon Boy. Esta vez espero que me responda.

La nota dice:

Querido artista misterioso:
Tu cómic me gusta muchísimo. Sería genial que Dragon Boy existiera de verdad. Y yo querría ser su amigo. Y tuyo también, claro. Igual eres un poco como Clark Kent con Superman o Peter Parker, que es Spiderman.
¿¿¿No serás tú también un SUPERHÉROE???
Date a conocer.

Tu amigo MAX

PAPÁ, QUE ESTÁ TODO EL DÍA CONECTADO A LAS NOTICIAS, dice siempre que le preocupa cómo va el mundo. Con Domi habla a menudo de la **CRISIS,** de los jóvenes que no encuentran trabajo a causa de la **CRISIS,** de las pocas inversiones que se hacen por culpa de la **CRISIS** y de otras cosas aburridas, y yo me he dado cuenta de que cuando papá habla con Domi de la **CRISIS,** ella sonríe menos que de costumbre.

Si yo fuera papá, no le hablaría de la bendita **CRISIS** esa. No está bien que alguien te diga que las cosas van mal cuando tú estás tratando de hacer esas cosas precisamente.

A veces, intento imaginarme como un padre, en una casa, con un trabajo. Vaya, que me imagino **DE MAYOR.** Pero me pasa algo parecido a cuando trato de imaginar a mis padres de niños. Es imposible. Y, además, todavía no sé cuál será mi trabajo.

Me gusta poner las cosas en orden, hacer listas, clasificar, cosas así, pero no sé si eso puede considerarse un **VERDADERO** trabajo.

Quizá pueda trabajar en un almacén con muchas estanterías o en una librería (¡con que no me obliguen a leer todos los libros que haya!).

Puede que viva **SOLO** en una minicasa como la de Carolina porque no tenga mucho dinero (con la **CRISIS...**). Pero otras veces pienso que no creceré nunca, o sea, que siempre seré igual que ahora. Aunque puede que me equivoque.

Pero no me veo como un **ADULTO.** A decir verdad, me veo siempre como estoy en la foto del final de la primaria, entre Casagrande y Da Lio. ¿Cómo les irá a ellos en la ESO?

Papá dice que en la vida tenemos que hacer lo que nos guste, elegir el trabajo que se adapte a nosotros, no el que otros quieren que escojamos.

Yo sé por qué dice eso, porque él no quiso hacer lo que decía su padre, el abuelo Alfio. Papá decidió por sí mismo lo que iba a hacer de mayor y el abuelo Alfio se enfadó. Esto es lo que sé. Por eso, cuando Domi dijo que quería estudiar Arte y mamá se indignó porque según ella ser artista no es un trabajo de verdad, papá defendió a Domi, diciendo que tenía que hacer lo que deseaba. Y al final Domi lo hizo. Como papá, que se hizo periodista a pesar de que el abuelo no quería.

Me resulta raro pensar que me haré mayor.

Esta tarde Deborah estaba en línea. Le he preguntado si sabe lo que será de mayor. Enseguida ha respondido, sin ni pensarlo:

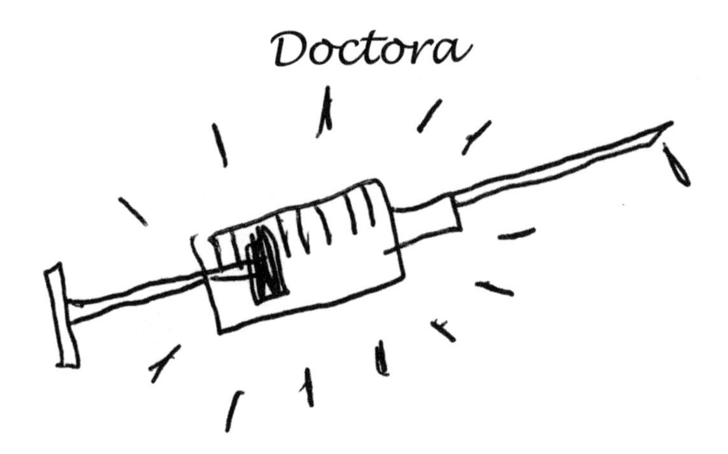

Yo le he contestado que es un trabajo bonito, aunque, mientras, pensaba que JAMÁS dejaría que una mujer me pusiera una inyección. Y no porque me fuera a doler, sino porque me daría vergüenza bajarme los calzoncillos.

Ella ha dicho que quiere ayudar a la gente que SUFRE.

¡¡¡JAMÁS, JAMÁS, JAMÁS!!!

Hay tantas maneras de sufrir.

La semana pasada, cuando Domi volvió a casa, me di cuenta enseguida de que no estaba como siempre. Sonreía poco y hablaba mucho menos. Y la casa, aunque estuviera ella, parecía igual de vacía.

El viernes por la noche, no dejaba de mirarla y luego miraba a mis padres, porque ellos también la miraban. Resumiendo, TODOS mirábamos a Domi. Pero ella no miraba a nadie, salvo a la comida que tenía en el plato, y, en vez de comérsela, le daba vueltas con la punta del tenedor. Me habría gustado preguntarle qué era lo que no iba bien, porque era evidente que algo no iba bien. Pensé que tendría dolor de tripa. Luego pensé que le habrían puesto una mala nota o que alguien se habría metido con ella por algún motivo. Quería decirle que estuviera tranquila, que esas cosas pasan. Yo lo sé. O tendría que saberlo. Pero no conseguía decir nada. Y cuando crucé la mirada con papá, él me guiñó el ojo, como para decirme que todo iba bien.

Después de cenar, en la cocina, mientras papá estaba en el ordenador y Domi tomando un baño caliente, mamá me susurró:

–Problemas del corazón.

Entonces me preocupé de verdad porque creí que mi hermana estaba enferma del corazón y tal vez tuviera que ir al hospital, a curarse o a hacerse un trasplante. Mamá se rio de lo lindo, casi se le salieron las lágrimas, y me dijo que Domi acababa de romper con el chico con el que salía en la universidad, y por eso estaba sufriendo. Yo no tenía ni idea de que en la universidad tuviera un novio.

–Es normal que ciertas cosas acaben –me dijo mamá más tarde, ese mismo día–. Para luego recomenzar de otra manera. Recuérdalo.

Los amigos van y vienen, eso lo aprendí yo también cuando pasé de un ciclo a otro. Casagrande y Da Lio eran amigos míos y se fueron. Están en otro colegio y ya no los veo.

Pero, me pregunto, si los amigos van y vienen, ¿cuándo vendrán de nuevo?

¿Cuándo regresarán o comenzarán de nuevo a estar para mí?

DESAPARECIDA TAMBIÉN LA SEGUNDA NOTA.

Apuesto lo que sea a que esta vez me responde.

Hoy la profe Ferri nos ha dicho cuál es el musical que quiere representar en primavera. Para decírnoslo nos ha hecho ver una peli. Y para ver la peli nos ha llevado al **AUDITÓRIUM**, que es una especie de pequeño teatro que tenemos en el colegio. Nuestro teatro es bonito porque se ve el escenario incluso desde las últimas filas. Está hecho de manera inteligente, con los asientos de atrás más altos con respecto a los de delante, y con unas cortinas rojas que se cierran al terminar la representación.

La profesora Ferri nos ha dicho que la peli estaba sacada de un libro famoso y yo, en cuanto he oído el título, me he acordado de que vi unos dibujos animados. La peli se titula:

El mago de Oz (aunque este mago no es realmente un mago, o sea, no hace magia; es un señor algo fracasado que finge ser un mago grande y poderoso) y hay una niña que, por culpa de un huracán, llega a un extraño país, lleno de colores, de brujas y de criaturas extrañas. Para poder regresar a su casa, tiene que ir a hablar con el mago de Oz (ella no sabe todavía que no es un mago auténtico), que vive en la Ciudad Esmeralda, y por el camino, que es un sendero de baldosas amarillas, se encuentra con un espantapájaros, una especie de robot de lata y un león.

Mi favorito es el ROBOT porque se parece un poco a un superhéroe.

Ellos también quieren ir a ver al mago porque los tres tienen que pedirle un favor.

Al final, la niña consigue regresar a casa y los tres personajes obtienen lo que desean: un CORAZÓN para el robot, un CEREBRO para el espantapájaros y el VALOR para el león.

Luego, cuando se han encendido las luces, la profesora Ferri nos ha preguntado de qué trataba la peli desde nuestro punto de vista y unos cuantos han levantado la mano para hacer una especie de resumen. Pero la profe los ha interrumpido.

–No quiero saber la trama –ha dicho–, sino de qué habla.

Ha hecho falta bastante tiempo, pero al final, todos juntos, hemos llegado al meollo.

EL MAGO DE OZ HABLA DE LAS COSAS QUE NO SABEMOS QUE TENEMOS.

HOY TAMBIÉN LOS MIRABA a todos como si fuera un asesino en serie. Antes o después, alguien se lo tomará a mal y me pegará una bofetada.

Pero es más fuerte que yo, no logro dejar de hacerlo, y si hay alguien que me devuelve la mirada, por un instante me quedo convencido de que ÉL es el dibujante misterioso.

Esta noche, antes de dormirme, mientras mamá veía la tele y papá seguía con su investigación saltando como una pulga de un sitio a otro, he ido al cuarto de Domi. Estaba leyendo.

Yo tenía el último cómic de Dragon Boy en la mano y se lo he mostrado.

—¡¡¡Es genial!!! —ha dicho ella, mirándome con los ojos brillantes—. ¡Eres buenísimo!

—No lo he hecho yo.

—¿Ah, no? Creía que sí. Es muy bueno.

—Superbueno —he dicho yo—. Lo ha hecho un amigo mío.

Sé que he dicho una mentira, pero me parecía demasiado complicado explicarle toda la historia del agujero en la pared. Y, además, espero de veras que antes o después el que dibuja Dragon Boy acabe siendo mi amigo.

—¿Lo conozco? —ha preguntado.

—No, es uno nuevo.

—Dile que es muy bueno. ¡Podría convertirse en dibujante profesional!

Lo ha leído entero mientras yo también lo releía, por encima de su hombro.

—¡Lleva aparato! —ha dicho, señalando una viñeta.

—¿Qué aparato?

—¡De dientes!

—Pero ¡cómo que aparato! ¡Tiene los dientes de hierro! ¡Es un superpoder!

—¿El superpoder de masticar cualquier cosa? —ha estallado en carcajadas—. ¿Qué hace? ¿Se come las nueces con cáscara?

Y venga a reír.

Y se reía tanto, que me he puesto a reír yo también. Luego he agarrado una almohada y se la he tirado a la cara. Y hemos hecho tal megabatalla de almohadas que al final estaba todo sudado.

–¿Qué hacéis? –ha dicho mamá asomando la cabeza con curiosidad.

–¡Nos damos almohadonazos! –he respondido.

Luego he ido a lavarme los dientes y a ponerme el pijama, y cuando me he asomado para darle las buenas noches, estaba sentada en la cama.

Me he quedado mirándola, sin entrar, y ella no se ha dado cuenta de que estaba fuera.

Ya no sonreía. Observaba el espacio que estaba entre ella y el armario, o a lo mejor al viejo GORDI que, como siempre, estaba allí con su cara de haber comido mucho y estar a punto de vomitar, y me ha parecido tan triste como cuando miraba la comida sin comérsela.

Me he dado cuenta de que seguía sufriendo, y me hubiera gustado decirle que las cosas se arreglan; que, aunque terminen, luego comienzan de nuevo. Solo que de OTRA forma.

Pero no le he dicho nada porque en el fondo no creo eso de que todo se ajusta y no habría sido convincente.

Así que me he ido y la he dejado mirando la NADA en los ojos de GORDI, y me sentía triste por ella porque habría querido ayudarla, pero no sabía cómo.

En el pasillo estaba papá. Tenía los ojos rojos de pasar tanto tiempo frente a la pantalla del ordenador.

GORDI

–¿Ya no vas a hacer más maquetas? –le he preguntado. Ahora su investigación parece lo más importante del mundo.

–Por supuesto que seguiré haciendo maquetas –ha dicho–. Solo que ahora estoy muy ocupado con la investigación. ¿Sabes, Max? Hay gente que ha hecho cosas muy graves fingiendo que era honesta. Yo quiero desenmascarar a esa gente y que salga la verdad a la luz. Para eso sirve el periodismo, ¿lo entiendes?

He dicho que sí con la cabeza, pero, mientras, pensaba que debía ser la policía la que sacara la verdad a la luz y desenmascarara a los culpables. ¿O no?

MIRA LO QUE PASA cuando en clase tienes compañeros que son VERDADEROS, AUTÉNTICOS, PERFECTOS

La cosa ha sucedido así.

Estábamos en la parada del 12, cerca del colegio, delante del BAR DEL ALFILER. El autobús anterior se había marchado lleno hasta los topes, con la gente aplastada por las puertas que casi no se cerraban, y algunos compañeros y yo hemos preferido esperar al siguiente. Durante la espera, como hacía frío, unos cuantos han entrado en el BAR DEL ALFILER. «Voy a buscar unas gominolas», he oído que decía uno. «Yo, una caja de caramelos». Etcétera. Así que yo también he entrado, por no quedarme fuera.

¿Cómo iba a saber yo lo que tenían **ESOS** en mente?

ESOS son los de siempre: Ronchese, Serracchiani y Labranca.

Pero conociéndolos, tendría que habérmelo imaginado.

El caso es que, de repente, los veo salir corriendo, sin darse la vuelta y sin decir nada. Creía que había llegado el autobús y he salido yo también. Pero no había ningún autobús. He visto solo a mis compañeros que corrían como si tuvieran un dóberman pisándoles los talones, mientras se reían y gritaban:

–¡Huye, Andy, huye!

Pero ¿huir de qué?

Me he dado la vuelta y en la puerta estaba el dueño del BAR DEL ALFILER o el que trabaja allí, en resumen, un tipo con una cara de *bulldog* que parecía dispuesto a morder al mundo entero.

–Ahora **TÚ** vas a pagar lo que se han llevado **ELLOS** –ha dicho, y no era una pregunta. Y me señalaba con un dedo tan grande como una salchicha.

Quizá hubiera podido escapar yo también (vale, probablemente me habría pillado enseguida, a causa de la pierna y la muleta, claro), pero no lo he hecho. No he huido, porque no había hecho nada malo.

Con la voz tan fina como un hilo, he preguntado:

–¿A qué se refiere con «lo que se han llevado ellos»?

–Dos cajas de caramelos, dos de gominolas y una chocolatina, querido. No creas que me vas a tomar el pelo. ¡Venga, el dinero!

Me he hurgado los bolsillos. Tenía una moneda de dos euros y la he sacado esperando que fuera suficiente.

–¡Eh, no! –ha dicho el tipo–. ¡Esto no basta, querido! ¿Y ahora qué hacemos, eh? ¿Qué?

Y yo qué sabía.

–¿Qué hacemos, eh? –seguía él.

–No sé –he balbuceado.

–Ah, ¿no sabes? Pues yo te lo explico. Ahora, llamo a la policía y les digo que te arresten.

–¿Arrestarme? –he repetido. Las piernas me temblaban y tenía miedo de desmayarme allí mismo.

–Sí, arrestarte. A los ladrones se los arresta, ¿no te parece? –ha continuado.

–Bueno, no está escrito que haya que llegar al arresto.

–Pues yo a los listillos como tú los hago arrestar, ¿comprendes? –no ha añadido nada más. Y, tras un instante de silencio, ha dicho–: Entonces, vamos a hacer lo siguiente: llamar a tus padres.

Le he respondido que era mejor la policía, que mis padres trabajaban todo el día y era inútil llamarlos; es más, que igual se enfadaban por ser molestados porque sus trabajos son importantísimos, y más y más chorradas. Pero él insistía, y al final me ha obligado a darle el número de casa. Sobre todo, porque estaba levantando mucho la voz y todos los del colegio que pasaban por el bar me miraban como si fuera un criminal.

Media hora después, mi madre ha venido a buscarme. Tenía los ojos fuera de las órbitas, como los Simpson, y le temblaban las manos.

–¿Pero se puede saber qué demonios te ha pasado por la mente? –me ha soltado. Porque es cierto que mi madre te impulsa a experimentar, a hacer cosas, pero jamás ¡A ROBAR!

He tratado de contarle lo ocurrido; es decir, la verdad, pero al final mi madre ha tenido que pagar las gominolas, los caramelos y la chocolatina.

–Me van a oír –ha dicho cuando nos hemos montado en el coche–. ¡Llamaré a los padres de esos gamberros y se van a enterar!

Los gamberros eran mis compañeros de clase.

He tenido que esforzarme un rato largo para convencerla de no llamarlos. ¿Con qué CARA me hubiera presentado en el COLEGIO a la mañana siguiente?

Y, sobre todo, ¿QUÉ ME HABRÍAN HECHO?

Mamá lo tiene fácil. Pero al colegio voy YO, no ELLA.

La tarea de ir al colegio es un asunto MUUUUY delicado. Están los compañeros, los profesores, las materias, el estudio, las notas. Es como caminar por el borde de una acera, en equilibrio: te puedes caer hacia un lado o hacia el otro.

Y si no puedes ser **INVISIBLE** (a pesar de mis **EXPERIMENTOS** más o menos logrados), lo único que puedes hacer es mantenerte en el borde, en equilibrio, sin caerte.

Asunto «colegio» explicado.

EL DOMINGO ESTUVIMOS EN EL CEMENTERIO, para llevar flores a la tumba de los abuelos.

Yo ayudé a mamá a cortar los tallos, mientras Domi limpiaba las hojas y papá organizaba la disposición de las flores. Papá está convencido de tener mucho gusto estético para las composiciones. También en casa, cuando coloca la fruta en el plato de la cocina, es como si estuviera elaborando una obra de arte. Todo inútil porque al final mamá hace lo que le parece.

Hicimos lo mismo que hacemos siempre que vamos a ver a los abuelos al cementerio.

Los abuelos son los padres de mamá. Murieron jóvenes, eso dice ella. Jóvenes por decir algo, porque tenían ya más de 60 años. Pero mamá dice que hoy a los 65 o 70 años se es todavía joven y se pueden hacer muchas cosas.

Cerca de la tumba de los abuelos hay una de un niño pequeño. Pobre. ¿Qué le debió de pasar? Él sí que era joven.

Yo no conocí a mis abuelos maternos, o casi, porque cuando se murieron yo era demasiado pequeño para recordarlos. Siempre los he visto en fotografías, sonriendo. No sé si es a causa de las fotos, pero creo que mis abuelos eran simpáticos.

Los padres de papá, por suerte, aún están vivos, pero al igual que la tía Ester viven lejos, en la ciudad donde nació papá. El abuelo y él no están muy de acuerdo por esa vieja historia de que el abuelo quería que papá fuera farmacéutico como él y como su abuelo antes que él. Pero papá nunca acabó la carrera. No le interesaba la farmacia, solo quería ser periodista.

Papá dice que quería tomar su camino en la vida, hacer su propia elección, aun a costa de equivocarse. No como el abuelo Alfio, que hizo lo que quería su padre.

«Si hay algo que no haré nunca», me dijo en una ocasión papá, «será decirte lo que tienes que hacer de mayor».

Resumiendo, nos vemos poco con los abuelos, en Navidad, y en alguna ocasión especial, y entre papá y el abuelo hay siempre una especie de montaña, que ninguno de los dos quiere escalar para ver qué hay al otro lado. Se saludan, intercambian una o dos sonrisas (no más) y hablan del tiempo o de la comida o del vino que están bebiendo. Fin.

Veo mucho más a menudo las fotos de mis abuelos maternos y, efectivamente, me parece conocerlos mejor, aunque se murieran hace ya un montón de tiempo.

Mientras regresábamos a casa, en el coche, mamá le preguntó a papá si últimamente había hablado con los suyos. Papá suspiró y respondió que no. Mamá dijo:

– Deberías –y él siguió conduciendo, sin responder.

¡ATENCIÓN! ¡ATENCIÓN!

Volver la página

¡¡¡REDOBLE DE TAMBORES!!!
¡NUEVO CÓMIC EN EL HUECO DE LA PARED!
¡¡¡¡¡NUEVO CÓMIC DE DRAGON BOY!!!!!

¡justo eso!

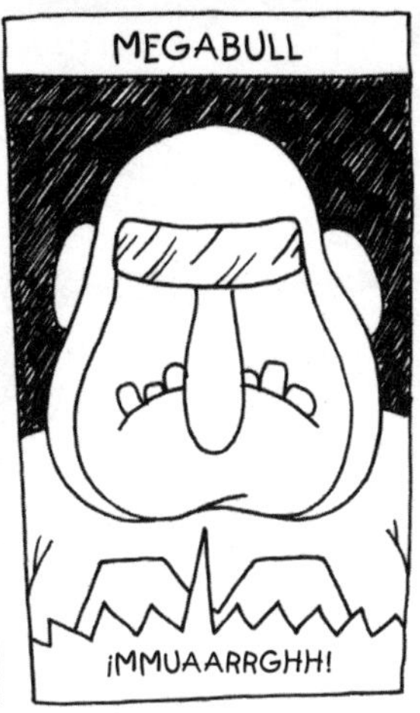

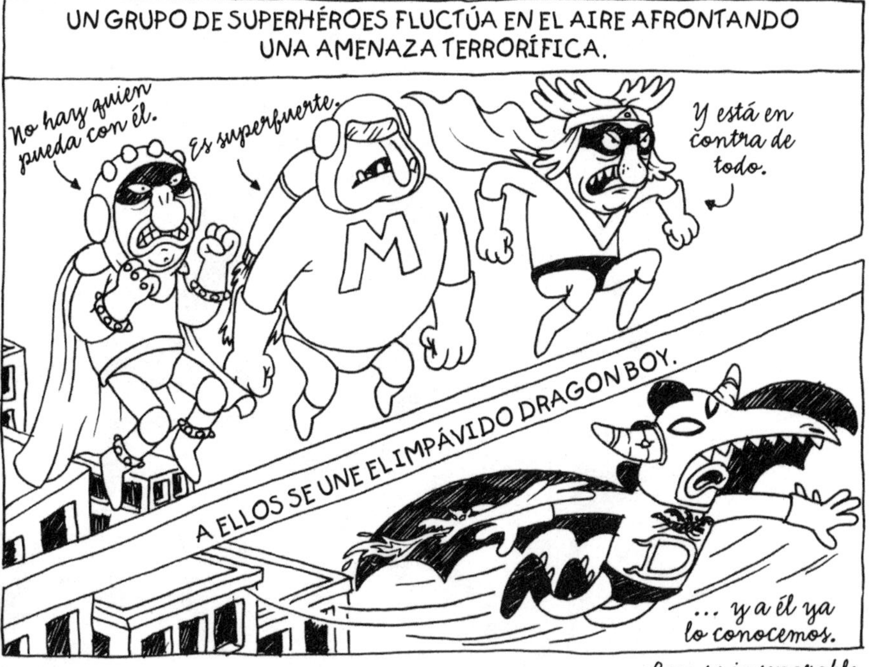

Con su inseparable sss... lanzallamas.

PERO VOLVAMOS ATRÁS EN EL TIEMPO.
¡SE EMITE UN TELEDIARIO ESPECIAL PARA COMUNICAR UNA TERRIBLE NOTICIA!
¡Uh! ¡Oh!
La Tierra
La Luna
El meteorito
Menudo problema
¡UN METEORITO DE PROPORCIONES COLOSALES VA A IMPACTAR CONTRA LA TIERRA DENTRO DE TRES HORAS!
...
¡UH!
¡NO!
¡GULP!
ES INÚTIL SEÑALAR QUE A MENOS QUE NOS SALVE ALGUIEN, ESTAMOS TODOS PERDIDOS.
¿LO HABÉIS VISTO? ¡SOLO NOSOTROS PODEMOS INTENTARLO!
ENTONCES, ¿ESTÁIS DISPUESTOS A ESTA EMPRESA IMPOSIBLE?
¡LO ESTARÉ!
MMM... ¡SÍ!
¡NO! PERO ¡LO ESTARÉ!
Él lo está...
... Y él también...
... Se opone, pero colaborará.

EL ASTEROIDE SIGUE SU RUMBO DIRECTO HACIA LA TIERRA.
OOOOOOOOO
¡Oh! ¡Oh! ¡Oh!
Y AQUÍ ESTÁN NUESTROS HÉROES DE NUEVO ESPERANDO EL GRAN IMPACTO.
¡AQUÍ LLEGA!
¡GRUMPF!
¡NO!
¡TENEMOS QUE MANTENERNOS UNIDOS!
OOOOOOOOOOOOOOOOOOOO

ESTOY ATERRORIZADO, PERO DEBO AFRONTAR MI RESPONSABILIDAD.

BOOOOOOM

¡LA TIERRA ESTÁ SALVADA!

¡FFUI!

PERO ¿PODEMOS DECIR LO MISMO DE DRAGON BOY?

HE VISTO EN UNA PELÍCULA a una niña que llevaba un DIARIO, tipo el mío, y cada vez que empezaba página, escribía:

QUERIDO DIARIO

como si fuera un amigo, como si **HABLARA** de verdad con un amigo.

Eso me ha hecho pensar, porque no había considerado que el diario pudiera convertirse en un amigo, al que le confías tus cosas, las secretas, esas que no contarías a nadie.

Y, efectivamente, es así. En el colegio no tengo verdaderos amigos y este diario es como una especie de amigo, aunque no hable ni pueda ir a ningún sitio, ni te diga: *«¡Hey, vamos al cine o a dar una vuelta!».*

Pero es como una especie de **OTRO YO.**

¡¡¡¡¡TA-CHÁAAAAAAAN!!!!!

¡Cambiada la foto del perfil!

En lugar de ese niño bobo con las gafas redondas que lee un libro, he puesto a...

¡DRAGON BOY!

Ha sido fácil. He fotografiado el dibujo de Dragon Boy con el móvil. Luego he descargado la foto del móvil en el ordenador. La he mejorado un poco con un programa de esos que corrigen los defectos y la he cargado.

A ver qué dice Deborah.

–¿QUÉ HACES? –me ha preguntado mamá sorprendiéndome por detrás.

Estaba sentado en el escritorio, escribiendo en mi diario. Creía que ella hablaba por teléfono, pero de pronto ha aparecido ahí, brotando del suelo, como una seta.

–Nada. O sea, los deberes.

Estaba a disgusto, ni que me hubiera descubierto haciendo quién sabe qué. Me sentía culpable, pero ¿por qué? ¡No había hecho nada malo!

Y, además, un diario secreto es secreto, ¡eso mismo! ¿Cómo vas a contarle a alguien que tienes un diario secreto? Entonces, ya no sería secreto.

Lo he tapado con el cuaderno de matemáticas.

–Hago matemáticas –he dicho.

Entonces, ha sonado el teléfono.

Era Carolina, que quería contarle a mamá lo bien que se había portado Pablo terminándose la papilla enterita.

La profesora Ferri está convencida de que interpretaré un papel en su musical. Ella sola lo ha decidido y por eso ha dejado de preguntármelo. Simplemente dijo que tenía que hacerlo, que no aceptaba excusas, que no puedo decir que no, que si lo hago, me pone un 2 en música (bromeaba).

Querido diario, a ti puedo decírtelo. No se trata de que no me gustara hacerlo. A lo mejor, hasta me divertía. ¿Quién sabe? Es que estoy seguro de no lograrlo. Tengo miedo. Algo saldrá mal. ¿Quién puede pensar que yo vaya a bailar y cantar delante de toda esa gente con la muleta, la cresta en la espalda y el imán del implante coclear pegado a la cabeza? Todos se burlarán de mí... En fin, ese musical lo puede hacer cualquiera, ¿¿¿¿¿por qué la Ferri se empeña en que sea justamente yo?????

–Estarías perfecto en el papel del leñador de hojalata! –dijo.

¡Yo ni me había enterado de que aquel tipo hecho de acero –el **ROBOT,** vaya– era un **LEÑADOR**! ¿Cómo puede cortar los árboles un leñador de lata? Yo lo tomaba por un *alien* que había venido a la Tierra desde otro planeta, como Superman, y como Superman se vuelve un héroe y salva al mago de Oz de los habitantes de la Ciudad Esmeralda, que la quieren emprender a puñetazos con él porque ha mentido diciendo que era un gran mago en vez de un fracasado. Pues aquí tenéis mi versión de *El mago de Oz*.

Yo creo que la profe quiere que haga del hombre de hojalata porque él, como yo, camina tambaleándose, como un autómata, a punto de caerse al suelo de un momento a otro.

Pensaba que me iba a proponer ser el falso mago, el fracasado. Habría estado perfecto en ese papel.

Pero el papel del mago lo hará la Conte (estará la mayor parte del tiempo detrás de un biombo y no se notará que es una chica). Al principio la Conte se quedó un poco chafada, porque ella quería que el público la viera bien (quería ser Dorothy, la niña), pero luego la profe la convenció de que el personaje del mago es el más importante porque, de hecho, la historia toma su nombre y, al final, no es un fracasado sino un personaje POSITIVO.

El espantapájaros (¡JA, JA, JA!) le correspondió a Labranca, que tiene un aspecto total de espantapájaros, tan flaco como el palo de una escoba. Cuando la profe se lo dijo a Labranca, Paolini, Serracchiani y los demás no paraban de reírse y tomarle el pelo. Pero ella los calló de golpe cuando les informó de que ellos harían el papel de los monos voladores. Entonces, fue Labranca el que se puso a reír (y yo, también, aunque sin que me vieran).

Marietto será el león, a causa de su tamaño, creo. No sé si está contento de trabajar en el musical o no. Pero el papel del león me parece bonito. Representar al león es bonito porque él es el REY de la selva y ser REY es algo importante.

Sara interpreta a Dorothy y está muy emocionada, ¡ni que la hubieran elegido para hacer una peli en Hollywood con los de *Crepúsculo*!

–¿Te imaginas? –me dijo en el recreo.

Me lo imagino, pero no me parece nada especial.

La Pandolfi y la Gracchi harán de brujas malas. La

Bruja Buena del Sur será la profesora Ferri. Los tíos de Dorothy, Nerini y la Tosetti. Pero todos participan, porque también hay un montón de figurantes.

De hecho, le dije a la profe:

—¿Por qué no me pone de figurante? ¿Un árbol o un arbusto, por ejemplo, que están quietos y no dicen nada?

Pero ella ni siquiera me respondió.

Deborah me ha escrito preguntándome quién es ese que aparece en mi perfil. Yo he aprovechado para contarle toda la historia de Dragon Boy. De cómo encontré los cómics en el hueco y todo lo demás.

Ha escrito que era una historia fantástica y que le recordaba una película antigua que vio una vez en la tele.

Yo le he preguntado:

—¿Qué peli?

Pero ella no lo sabía. Me ha dicho que, aunque los cómics no le interesan, le gustaría ver Dragon Boy.

Yo enseguida he dicho que no, que no puede. Primero porque es algo completamente mío, casi secreto (o sea, no secreto del todo porque se lo conté a Domi y ahora a Deborah), y, además, ¡no tengo ninguna intención de quedar con ella! ¡No sé ni dónde vive! ¡Igual a 10.000 kilómetros de mi casa!

HOY LA PROFESORA FERRI nos ha contado mejor la historia de *El mago de Oz* y nos ha dado los TEXTOS, es decir, los párrafos que nos tenemos que aprender cada uno, que en teatro musical, según ha dicho, se llama el LIBRETO. Todos se han reído porque la palabra suena a «libro pequeño» y, sin embargo, esto tiene un tamaño que ya veremos quién se lo aprende de memoria.

Bueno, el caso es que el LIBRETO hay que estudiárselo en casa porque la próxima semana empezamos con los ensayos del espectáculo en clase.

Yo he cogido mi LIBRETO (me hace gracia hasta escribir la palabra) y lo he soltado sobre el pupitre sin mirarlo siquiera.

Luego, cuando se ha terminado la clase, he salido corriendo detrás de la profesora hasta el pasillo, porque quería decirle de una vez por todas que no quiero hacer esa gansada del musical y que es inútil que continuemos simulando y que mi LIBRETO se lo puede dar a otro.

La profesora caminaba deprisa, con una pila de libros en los brazos, y al doblar la esquina se ha tropezado con un hombre y los libros se han caído todos al suelo. El hombre ha murmurado un «perdón» y se ha ido sin más.

Yo la he ayudado a recoger los libros.

–Gracias, Stanghelli –ha dicho la profe.

El corazón me iba a mil por hora y tenía la boca seca; ahora que estaba a solas con ella no sabía cómo decirle que no quería hacer el musical. Porque el problema NO es el espectáculo, sino YO, en el sentido de que no me atrevo. Punto. Yo solo quiero ser INVISIBLE.

–Prof…

–¿Sí, Stanghelli?

He empezado a sudar y a mirarla sin decir nada:

–Stanghelli, ¿vamos?

Y yo:

–Profesora, ¿por qué quiere que represente justamente al hombre de hojalata?

–Es un LEÑADOR de hojalata.

–Vale, ¿por qué justamente a ese?

–¿Prefieres hacer de Dorothy?

–No, pero…

Y ella, interrumpiéndome:

–Porque eres un poco introvertido y tienes una especie de coraza, como si estuvieras hecho de hierro, pero dentro, desde mi punto de vista, tienes un gran corazón.

No he sabido qué responder. Me ha dejado tieso.

–Todos nosotros tenemos algo en común con un personaje teatral o cinematográfico –ha proseguido–. Cada actor debe SENTIR el papel que va a interpretar, porque su carácter tiene afinidad con ese papel. Por supuesto que, si eres un gran profesional, un actor de verdad, entonces no tienes dificultad en meterte en la piel de personajes muy distintos a ti. Pero nosotros no somos profesionales, ¿no es cierto, Stanghelli? Nosotros nos divertimos y punto. Eso es importante, divertirse y estar juntos, colaborar, compartir las cosas. ¿No te parece?

Como de costumbre, no he tenido el valor de decir la verdad, eso de que me muero del susto solo de pensar en salir ante toda la gente y hacer un ridículo espantoso.

Y, además, no sé si me interesa lo más mínimo eso de COMPARTIR algo con los de mi clase.

He dicho que sí con la cabeza, como una simple MARIONETA y me he marchado.

De vuelta a casa, tenía como una maraña de espaguetis en la tripa, toda entera.

Pero luego he pensado que voy a simular estudiar el LIBRETO, solo eso, y, unos días antes, diré que tengo fiebre o dolor de tripa, y el papel se lo darán a otro, y pensando en estas cosas la maraña de pasta se me ha deshecho de repente.

¡¡¡OLE!!!

Soy listo, ¿no?

ESTA MAÑANA SE ME HA OCURRIDO UNA COSA.

Vigilar el muro de Villa Feliz.

Así veré quién esconde los cómics.

Mientras iba en el autobús, he pensado qué disfraz podría ponerme para que nadie me reconociera. He visto que cerca del agujero de la pared hay un banco. A veces, se sientan ancianos allí.

Podría sentarme en el BANCO, simulando ser un ancianito hecho puré (me podría poner una barba blanca, como la que se ponía papá cuando se disfrazaba de Papá Noel). ¡Al fin y al cabo, en el colegio me llaman *Abuelo*! Necesitaría un sombrero y un abrigo. Buscaré en el armario de mis padres, a ver si encuentro algo que se parezca a la ropa de un abuelo. Un sombrero estaría muy bien.

En el recreo, he pensado que la idea de disfrazarse para descubrir quién mete el cómic en el muro es una auténtica chorrada.

Porque:

-Necesitaría días o semanas.

-El dibujante podría ir por la noche o al amanecer o a la hora de la comida o cuando hago los deberes, y yo no puedo trasladarme a vivir las 24 horas en un BANCO de la calle.

-Podría reconocerme y darse cuenta de que lo estoy vigilando y pasar de largo sin detenerse.

-Viéndolo pasar por allí, yo podría pensar por error que fuera él (o ella) quien me hubiera reconocido y pensar que él (o ella) fuera el autor/a del cómic, cuando lo más posible es que sea alguien que pasa por allí por casualidad.

Aquí está Deborah. ¿Es posible que esté ***SIEMPRE*** chateando?

Entonces, ¿el cómic?, me escribe.

No puedo, respondo. Mi amigo lo dibuja solo para mí. Es un amigo al que quiero mucho y no puedo traicionar su lealtad.

Ella: *¡¡¡Cuánto misterio!!!*

Yo: ¡Es que yo soy un tipo misterioso!

Ella: *¡¡¡¡¡¡Ajajajajajajajajajajajajá!!!!!!! Entonces, ¿cuándo nos vemos?*

Yo: Los chicos misteriosos tienen que seguir siendo misteriosos. Si no, ¿qué misterio sería?

QUERIDO DIARIO:

Hoy en el colegio ha pasado algo.

Quería sacar un bollo de la máquina que está en el vestíbulo.

Mamá dice que esos bollos son malos, que están llenos de conservantes y cosas que no sientan bien y que, además, cuestan un ojo de la cara. Pero a mí me gustan y no creo que me **MUERA** si me como uno de vez en cuando, ¿no? Así que cuando me dan unas monedas, me compro uno. Y, además, es algo que me hace sentir mayor eso de meter el dinero, elegir el bollo y comérmelo, sin que nadie me diga lo que tengo que hacer y si puedo hacerlo. Es una sensación bonita. Solo necesito que por los alrededores no estén Ronchese, Serracchiani y los demás, porque, si no, el bollo acaba teletransportado a sus **BOCAS**, y ¡no a la mía!

El caso es que hoy estaba allí, delante de la máquina de los bollos, indeciso, porque no sabía si elegir uno de chocolate o uno con mermelada de cerezas. Al final, me he decidido por el de chocolate. He metido las monedas en la ranura y le he dado al botón VERDE. Pero nada de bollos. He apretado el botón ROJO de STOP, que sirve para anularlo todo, pero no ha pasado nada: ni bollo ni dinero.

Me lo he tomado con calma y he sacado dos monedas más. He hecho mi elección, apretando el botón preciso, pero ¡nada otra vez!

Para estar seguro, he probado de nuevo. Pero, nada, ¡la máquina no quería darme el bollo ni muerta!

En esas, he mirado alrededor, porque tenía miedo de hacer el ridículo. Por suerte no había nadie que me mirase. Entonces he probado a darle unos golpecitos a la máquina, pero nada. Había decidido quedarse con mi dinero, que por cierto ¡¡¡ya eran **3 euros 60**!!!

Me he cabreado y he metido la mano en el cajetín por el que salen los bollos para ver si llegaba y podía coger uno. Sé que no tendría que haberlo hecho, pero no me parecía justo quedarme sin. Aquella ESTÚPIDA máquina se había tragado ¡todo **MI** dinero!

Como no me llegaba la mano, he metido el brazo también.

Al final, no solo no llegaba a los bollos, es que ¡no podía sacar el brazo! ¡estaba ENCAJADO! Aquella asquerosa, además de mi dinero, ¡quería quedarse con mi brazo!

¡MI BRAZO NO VALE SOLO 3 EUROS 60!

Me he puesto rojo como un tomate, porque, entretanto, la gente se había vuelto a mirarme con curiosidad.

Entonces, para liberarme he empezado a darle golpes a la máquina con la muleta.

Ha llegado el profesor Pirro, gritando:

—¡STANGHELLI, ¿QUÉ DEMONIOS TE CREES QUE ESTÁS HACIENDO?

Me ha cogido por los hombros y ha tratado de levantarme, pero realmente estaba superencajado y, como me dolía el brazo, he empezado a gritar.

—PERO ¿POR QUÉ GRITAS? —ha gritado él—. ¡NO TE ESTOY HACIENDO NADA!

Todos se reían y en el vestíbulo se había reunido una masa de gente.

El director ha salido corriendo de su despacho y nos ha mirado a mí y a Pirro con una cara que era digna de verse.

Justo en ese momento (el momento en que habría querido hundirme en las profundísimas profundidades de la Tierra y no volver jamás a la luz), mi brazo se ha desencajado y la máquina ha empezado a escupir bollos uno detrás de otro.

Entonces, todos se han lanzado sobre los bollos aullando como fieras hambrientas mientras el profesor y Gino, el bedel, trataban desesperadamente de pararlos.

Me han entrado ganas de reír y alguien, en medio de aquella masa desenfrenada, ha gritado:

—¡Bien por Max!

Y ha estallado un aplauso.

Es la PRIMERÍSIMA vez en TODA mi vida que alguien me aplaude.

Esto de los bollos, más que provocarme una depresión, me ha gustado. Mientras salía del despacho del director (me ha valido una reprimenda, pero nada de expulsiones, ¿eh?), uno me ha dicho:

—¡TE HAS PORTADO! Esa máquina nos roba siempre el dinero a todos…

Tenía la boca y la camiseta sucias de chocolate. Estaba claro que se había zampado unos cuantos bollos.

Como me sentía lleno de energía y de valor, al pasar por delante de Villa Feliz, se me ha ocurrido la idea de ver si hay algún nombre en el portero automático (o mejor, en lo que queda del portero automático; en realidad, una especie de disco metálico del que salen unos hilos eléctricos).

Cuando he visto que en la placa de mármol había grabado un nombre, aunque completamente cubierto de porquería, he empezado a desincrustar la suciedad con las uñas.

En cuanto lo he leído, se me ha parado el corazón. Por decir algo.

El nombre es:

El de mi compañero de clase, el que hace siempre lo mismo que hace Ronchese.

No puede ser una coincidencia. A lo mejor es una pista importante.

Mañana haré algunas averiguaciones.

TRAS UNA NOCHE ENTERA PENSANDO que Serracchiani, ese Serracchiani, pudiera ser el autor de **Dragon Boy** (dado que el agujero de la pared, como la pared y la casa, pertenece a su familia), durante el desayuno he preguntado a mis padres:

–Antes en Villa Feliz, ¿quién vivía?

–No sé –ha respondido mi madre.

Papá, en cambio, se ha quedado un rato pensativo y luego ha dicho:

–¿No estaba aquel anciano, Serracchiani?

–Es cierto –ha dicho mamá–. No recuerdo cómo se llamaba, pero todos decían que era conde.

–¿De verdad? ¡Un conde! En mi clase –he continuado como si se me acabara de ocurrir en ese mismo instante– hay un chico que se llama Serracchiani.

–Puede que sea un pariente –ha comentado mamá.

He llegado al colegio pensando que quizá Serracchiani tenía un pariente **CONDE**. Mirándolo, la cosa es tan probable como que yo saque un 10 en gimnasia o en matemáticas. O sea, ¡Serracchiani es tan basto que resulta genéticamente imposible que en el pasado su familia hubiera tenido a un conde entre sus miembros!

En la segunda clase (tras pasarme toda la primera mirando la nuca de Serracchiani tratando de dilucidar si se parecía a la nuca de un **CONDE** y concluyendo que, como mucho, se parecía a la de un orangután), sin darle más vueltas, en voz baja pero contundente, le he dicho:

–Pero tú no eres pariente de un conde, ¿verdad?

Él se ha dado la vuelta y me ha mirado con disgusto.

–¿De la Conte?

–No, DE LA Conte, no. De UN conde.

–¿Qué estáis murmurando? –nos ha recriminado la Conte, que aunque está de espaldas siempre se entera de todo.

–¡Tú, estudia, empollona! –le ha ordenado Serracchiani.

–Sileeeeeencio –ha dicho el profesor Pirro sin dejar de escribir fórmulas matemáticas en la pizarra.

–¿Qué quieres decir con que si soy pariente de UN conde?

–Del conde Serracchiani. ¿Era tu tío o algo así?

–¡Ah, ese conde!

Lo había entendido. Pero enseguida me ha preguntado:

–¿Y a ti qué te importa?

–Lo quería saber mi padre. Ha dicho que conocía al conde Serracchiani, que vivía en Villa Feliz, y que era un señor estupendo, amable, educado, generoso...

(Me he inventado todo eso para aplacarlo porque con alguien como Serracchiani no se sabe nunca).

–A lo mejor escribe algo para el periódico –he añadido para dar credibilidad a lo que estaba diciendo.

Él ha puesto una sonrisa torcida, como cuando te comes un limón.

–¿Amable y generoso? ¡Pregúntale a mi padre lo generoso que era! Ese viejo era su abuelo y, al morirse, ¡no le dejó ni un céntimo! Y ese megapalacio se está yendo a pique porque se lo legó al Ayuntamiento. De otro modo, nosotros viviríamos allí. ¡Muy generoso, sí, señor! ¡Dile a tu padre que ponga eso en su artículo!

No he sabido qué responder.

–¿Habéis terminado? –ha preguntado la Conte, y Serracchiani le ha lanzado el capuchón del boli.

–Serracchiaaaaaani –ha bramado el profesor.

La historia de Serracchiani y del viejo conde me ha hecho darle vueltas a la cuestión entre papá y el abuelo. Tal vez también haya por medio una vieja casa, puede que una farmacia, pero en cualquier caso al final sucede lo mismo, que te peleas, que se forman montañas, que dejas de verte, o te ves menos de lo que deberías.

Yo espero no tener que pelearme nunca con mi padre y que entre nosotros no se forme una montaña que haya que escalar. Mamá dice que cuando eres pobre te peleas por el dinero que no tienes y que cuando eres rico te peleas por el que tienes.

Bueno, lo que es evidente es que Serracchiani no tiene nada que ver. El hecho de que la villa perteneciera a un pariente lejano suyo es puro azar. Una casualidad extraña, pero casualidad al fin y al cabo.

Sin embargo, la decisión de dejar el cómic en el muro **NO PUEDE SER SOLO UNA CASUALIDAD.**

O el dibujante pasa por delante o sabe que YO paso por delante.

Cuando la segunda clase estaba a la mitad, ha venido mamá a llevarme al hospital a hacerme las radiografías. Mejor, así me he saltado el resto de la hora de matemáticas.

–Siempre tienes una excusa, ¿verdad, Stanghelli? –ha refunfuñado el profesor Pirro cuando le he enseñado el permiso–. ¿Justo hoy tienes que ir al hospital, hoy que explico las ecuaciones?

He hecho como que no oía, al fin y al cabo soy medio sordo.

Que te hagan radiografías no es molesto. Te ponen en una camilla y te fotografían la pierna. Te dicen «quieto» y luego oyes una especie de *CLIC* como los que hacen algunas máquinas fotográficas. No duele. No hace nada.

Luego hemos tenido que esperar bastante rato, hasta que nos han dado el CD con las radiografías.

No sé qué hay en las placas. Tiene que verlas el doctor Turri. Él es el que dice si están bien o no.

Mientras estábamos en la sala de espera, al verme cabizbajo, mamá me ha preguntado:

—¿Estás preocupado?

—¿Eh?

—Por las radiografías.

—Un poco.

Pero estaba pensando en Dragon Boy. O mejor, pensaba en quién puede ser su autor.

Sara es probablemente una de las sospechosas. Siempre está a mi alrededor, me sonríe, me habla, quiere ayudarme. Es bastante buena en educación plástica, aunque no sé si sería capaz de dibujar algo como DRAGON BOY.

HOY, DURANTE LA CLASE DE INGLÉS, le he mandado una nota a Sara, que ponía: «¿Te gustan los cómics?».

Ella me ha sonreído (efectivamente, tiene los dientes torcidos, a lo mejor es verdad que ha de ponerse aparatos).

Luego, en el recreo, me ha respondido:

—NO.

«Entonces, ¿por qué has sonreído?», iba a preguntarle. Pero no lo he hecho porque me parecía maleducado.

Estaría bien poder decir a las personas siempre todo lo que se piensa.

Los padres repiten que hay que ser sincero, pero me gustaría ver lo que pasa si le dices a tu padre que cierre la boca mientras en la mesa habla y come a la vez o que tiene una tripa tremenda o que, cuando va al baño, deje luego la ventana abierta durante dos o tres horas, y cosas así.

O si le dices a tu madre que pasa demasiado tiempo al teléfono o que la tarta de manzana por la que todos la felicitan a ti te hace vomitar o que con todo el maquillaje que lleva en la cara parece un payaso de circo.

Estaría bien. Superbién. No existirían las mentiras. El mundo sería pura verdad.

Pero no se puede.

Así que es inútil pretender que los hijos digan la verdad, pero solo la que quieren escuchar sus padres.

A veces, para no ser maleducado, hay que mentir. Conmigo lo hacen casi todos, desde hace un montón de tiempo.

Bueno, Sara me ha invitado a su casa, esta tarde. A lo mejor sonreía por eso.

Le he dicho que tenía que pensarlo.

Podría ser una buena ocasión para descubrir más cosas sobre ella. Tal vez debería aceptar. Y, además, mamá estará contenta de que alguien me invite a algún sitio.

Cuando hemos salido del colegio, a las 13:05, le he dicho:

–De acuerdo, voy a tu casa, ¡siempre que me des la dirección buena!

Ella se ha echado a reír.

–De acuerdo. Si te parece –ha dicho–, le pido a mi madre que te vaya a buscar a las 3.

Le he respondido que bien y le he dicho dónde vivo.

Lo previsto, mamá se ha puesto contenta. Me ha dicho solo:

–Pórtate bien y, si lo necesitas, me llamas.

Yo he hecho que sí con la cabeza y a las tres he salido.

En la calle estaba esperándome el TODOTERRENO de la madre de Sara. Dentro iba también Sara, vestida con un tutú de baile porque, dice, que en su casa se pasa el día bailando. Su madre es médico y su padre dirige una fábrica importante.

Cuando Sara me ha preguntado en qué trabaja papá, le he respondido:

–Es periodista.

–¡Qué bien!

A mí me parece mejor hacer maquetas de barcos. Por eso, cuando su madre me lo ha vuelto a preguntar un rato después, he respondido:

–Hace barcos.

–¿Pero no trabajaba de periodista? –ha dicho Sara.

–Sí, pero también hace barcos.

—¡Un ingeniero naval! —ha dicho la madre de Sara.

—Algo parecido —he respondido yo.

Y para evitar que ahondaran en el tema, he hablado de mamá, que hace REUNIONES.

La madre de Sara ha dicho que conoce la empresa para la que mamá hace las REUNIONES, que es buenísima y que de vez en cuando ella también compra productos con ese sistema de las REUNIONES.

En fin, que han estado simpáticas y yo he pensado que debe de ser cómodo tener una madre que sea doctora, así, si te duele algo o te da un ataque, no tienes ni que ir al hospital: te curan en casa. Y a propósito de casa, la de Sara es genial, todo electrónico: puerta, cortinas, luces, ¡todo! Imposible que haya cucarachas, ¡a menos que sean electrónicas ellas también!

Hemos jugado al Monopoly y luego Sara me ha representado algunos de los *ballets* inventados por ella, algo bastante **MUERMO**; pero, como ya he escrito antes, no se puede decir siempre la verdad.

Cuando me ha preguntado si me habían gustado, yo he sonreído como un bobo y he respondido:

—¡Mucho!

Y, mientras, subía y bajaba la cabeza para que se lo creyese de verdad.

En su cuarto, yo he estado escudriñando aquí y allá, a la búsqueda de cómics escondidos o pinceles finos o cosas así, pero solo he visto libros, juegos de sociedad, alguna muñeca vieja y cactus, de esas plantas con espinas que aparecen en las pelis de vaqueros.

—LOS CACTUS SON MI PASIÓN —me ha dicho con una expresión amorosa, como si estuviera hablando de un cachorro de labrador. En cambio, tiene dos gatas, que son malas hasta decir basta.

—Cuidado que arañan —me ha advertido la madre de Sara.

En cuanto he ido a acariciarlas, han resoplado como serpientes cascabeles. ¡QUÉ DESAGRADECIDAS!

Como me estaba aburriendo, de pronto le he preguntado a Sara, ya que es tan buena con el dibujo, si me enseñaba a dibujar un DRAGÓN. Ella, entonces, ha buscado un libro donde aparecía la figura de un DRAGÓN y la ha copiado en un folio en blanco.

No se parecía para nada al dragón de la camiseta de Dragon Boy. Le he pedido que dibujara **FUEGO** saliendo de la boca del DRAGÓN, pero el **FUEGO** tampoco se parecía al que sale del lanzallamas de Dragon Boy.

—Qué bonito —he dicho—. ¿Puedo quedármelo?

—¡Claro! —ha respondido ella muy orgullosa.

Al final me han acompañado a casa y Sara me ha hecho prometer que volveré a jugar con ella lo antes posible.

O Sara no tiene nada que ver o es buenísima contando mentiras.

MAMÁ Y YO hemos ido a la consulta del doctor Turri con el CD de las radiografías.

Él ha mirado el CD en el ordenador y luego ha dicho que no va mal. No va mal no quiere decir que vaya bien.

Mamá parecía algo nerviosa: no dejaba de tocarse la pulsera de la muñeca.

–¿Puedes esperar un minuto fuera? –me ha preguntado el doctor Turri.

Yo he esperado. Y, mientras, he estado pensando qué se estarían diciendo entre ellos.

–No te preocupes –me ha dicho mamá cuando nos hemos montado en el ascensor para regresar a casa.

Pero yo ESTOY preocupado. ¿Qué puedes hacer para no estar preocupado si te dicen con expresión poco convincente «no va mal», pero tú sabes que puede que te corten un trozo de pierna y que te va a DOLER muchísimo?

De todos modos, para evitar que me dieran malas noticias no he hecho preguntas.

–¿Y? –ha preguntado papá cuando hemos llegado a casa.

–No va mal –le he respondido.

Él ha asentido y ha mirado a mamá, que ha bajado los ojos y no ha añadido nada más.

Durante la cena papá se ha hecho el gracioso, aunque no había necesidad. Yo lo conozco. Es su manera de actuar cuando está preocupado por algo. Luego, en lugar de ir a trabajar en su investigación o a construir barcos, me ha puesto un brazo alrededor del hombro y me ha preguntado si me apetecía ver una película, juntos los tres. Y mamá ha dicho que prepararía palomitas.

Así que he comprendido que la cosa estaba

CHUNGA.

Si el doctor Turri o mamá o papá quieren que me opere, yo diré que no. ¡No pueden hacerlo contra mi voluntad! Al fin y al cabo, yo ya estoy acostumbrado a esta pierna, más aún, le tengo cariño. Estoy bien con ella. Y si me obligan, escribiré una carta al periódico (pero no al de papá, *La Opinión,* porque él evitaría que la publicasen), así todos sabrán lo que me están obligando a hacer.

Mientras estaba en la cama, pensaba que el doctor Turri y mis padres estaban escondidos en el pasillo, a la espera de que me durmiera. Me montarían en una ambulancia y me llevarían al hospital, donde me operarían. **CONTRA MI VOLUNTAD.** Y yo me despertaría aullando de dolor.

–Dragon Boy, sálvame tú –he dicho antes de dormirme.

EN LUGAR DE CON EL HOSPITAL y la operación de la pierna, he soñado que el Gigante y los otros maltratadores del colegio me perseguían. Y yo trataba de escapar. Pero ellos me pisaban los talones.

El colegio de pronto se ha transformado en una ciudad vacía y peligrosa, el día se ha vuelto noche. Había caído en una trampa, en un callejón oscuro, y ellos me han rodeado. Han sacado bates de béisbol y navajas, y yo tenía un canguelo tremendo.

–Eres un cobarde –gritaban–. Un discapacitado cobarde.

Después, TA-CHAAAAÁN, de las sombras y de la nada ha salido ÉL,

Como Spiderman y Superman juntos, y me ha salvado. Primero ha pegado puñetazos a los maltratadores y ellos escupían los dientes rotos como en los dibujos animados. Luego ha hecho que unos cuantos salieran volando por los aires, hasta la estratosfera y más allá. Finalmente me ha dado la mano y ha dicho (sí, ¡ha HA-BLA-DO!), me ha dicho:

—¿Y bien, Max? ¿Cómo lo estás pasando?

Que no es nada del otro mundo para ser una frase dicha por un superhéroe, pero los sueños a veces son muy extraños.

Entonces yo he respondido:

—¡Bien, Dragon Boy! ¿Y tú?

La capa le ondeaba, aunque no hacía viento, y el dragón, en la camiseta, parecía casi vivo.

Y él: —¡No va mal, gracias!

Y yo: —Tendrás mucho trabajo, ¿no?

Y él: —¡Bastante!

Uno de los maltratadores lanzados por el aire ha caído a poca distancia de nosotros, con un golpetazo terrible. Ha levantado un brazo, quizá para rendirse o para pedir ayuda, pero Dragon Boy lo ha dejado tieso, más bien asado, con una llamarada de su lanzallamas. Y el maltratador ya no se ha movido. Fulminado.

Yo me he asustado, pero Dragon Boy sonreía, con sus brillantes dientes punteados de acero que reflejaban la luz de la luna. No tenía miedo de que me cegara o me fulminara, porque sabía que en ese momento el poder de sus dientes de acero estaba apagado.

Él: –ENTONCES, ¿TODO EN ORDEN, COLEGA?

Yo: –Sí.

¡Me ha llamado COLEGA! ¡YO, COLEGA DE UN SER COMO DRAGON BOY! ¿Y QUE ME DA LA MANO?

De pronto, Dragon Boy y yo estábamos hablando a través de una especie de puerta, pero sin puerta. O sea, solo el marco, porque lo de en medio estaba vacío. Más que una puerta parecía un espejo. Pero ¡sin el espejo en medio!

Además, me daba la impresión de que nos estábamos alejando, aunque ninguno de los dos caminaba.

–¿Sabes que el cómic que protagonizas es una pasada? –he dicho.

Y él: –¿Qué cómic?

Luego me he despertado.

Estaba en mi dormitorio y estrechaba entre las manos la muleta, que había dejado cerca de la cama. A lo mejor, mientras dormía, había asado al maltratador con la muleta creyendo que era DRAGON BOY.

Tendré que buscar uno de esos libros que hablan de los sueños, porque yo este sueño ¡¡¡no lo he comprendido para nada!!!

A LO MEJOR ERA UN SUEÑO PREMONITORIO PORQUE ESTA MAÑANA EN EL AGUJERO HE ENCONTRADO ESTO:

¡UNA NUEVA Y FABULOSA AVENTURA DE DRAGON BOY!

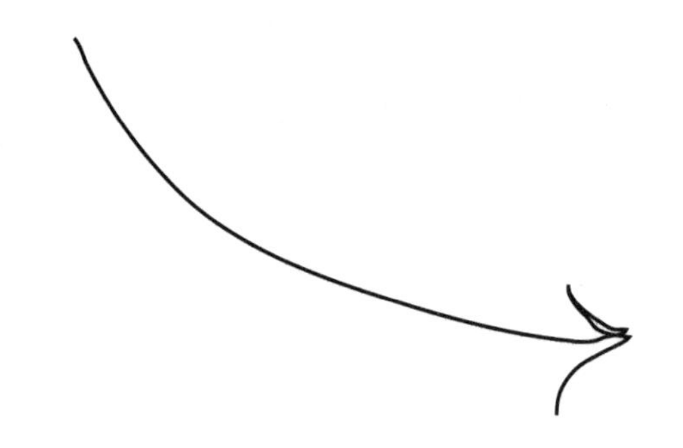

DRAGON BOY
ROBOT GLOTÓN

LAS ACERAS ESTÁN LLENAS DE NIÑOS CON LAS CARAS TRISTES.

Todos tristes
¡UFF!

PERO ¿POR QUÉ ESTÁN TODOS DE TAN MAL HUMOR?

Realmente infelices

NO ME GUSTA. TENGO QUE INDAGAR.
¡AAAHHH!
¡SOCORRO!
¡BASTA!
?

VEAMOS POR AQUÍ. ¿DE QUÉ ESCAPAN LOS NIÑOS?

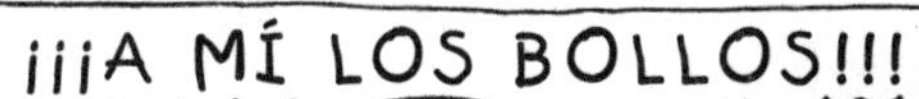
¡¡¡A MÍ LOS BOLLOS!!!

UUUUUISHH
¡CLA... CLARO, SEÑOR!
¡AQUÍ TENEMOS AL CULPABLE!

PERDONE, SEÑOR ROBOT. ¿NOS PODRÍA DEVOLVER NUESTROS BOLLOS?
¡JAMÁS! ¡JA, JA, JA! ¡TENGO HAMBRE!
¡BASTA! ¡AQUÍ HACE FALTA DRAGON BOY!
¡JA, JA, JA!
¡NADIE M PUEDE PARAR!
¡YO SÍ!
Llamarada del dragón
¡MALDICIÓN! ¡NO LE HACE NADA!
¡JA, JA, JA!
WOOSH
¡PROBEMOS CON ESTO!
BZOOT
Rayo achicharrante
¡NO ME PODÉIS HACER NADA!
SHIIING

SKROKK
¡OUCH!

PERO ¡ESTE ROBOT ES INVENCIBLE!

¡Y AHORA ABSORBERÉ TODA LA COMIDA!

¡UH, AH, AH!
GLUB GLUB

¡VOY A VENCERLO CON SU PROPIA GLOTONERÍA!

OIGO CHILLAR A LAS GAVIOTAS. DEBEN DE ESTAR DESCARGANDO AQUÍ MISMO.
Super-oído

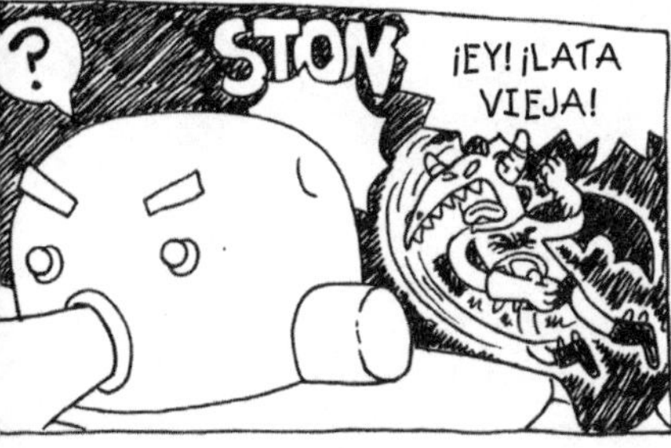
?
STON
¡EY! ¡LATA VIEJA!

¡ME TIENES HARTO! ¡VOY A COMERTE!
¡ATRÁPAME!

¡JUSTO AQUÍ TE QUERÍA YO!
¿TE CREES QUE UN POCO DE BASURA PUEDE ACABAR CONMIGO? ¡TE ASPIRARÉ DE UNA VEZ!
UUUUSH
¡ESTÁS ACABADO!
?
?
?
?
SBLORFF
¡OH, NO! NO PUEDO PARAR. SI CONTINÚO ASÍ, EXPLO...
¡Qué glotón!
GLOM
GLOM
BOOOM
¡HUY! ¡LLUEVEN BOLLOS!
PLAF
¡YUHU! ¡POR FIN, BOLLOS!
¡PODREMOS ATIBORRARNOS COMO SIEMPRE!
¡VIVA DRAGON BOY!

HOY POR LA TARDE, al volver con mamá de natación, he visto que el Gigante torcía por la esquina de Villa Feliz.

Estaba pensando en mis cosas, en el último cómic (¡ostras!, cuánto más leo Dragon Boy, más me parece que cuenta las mismas cosas que pasan en el colegio, solo que cambiándolas un poco), en el agua que me había tragado en la piscina, en los deberes de mañana, en las bandas de goma al final de mi garganta, en Deborah, en Sara y en un montón de cosas más (sobre todo, en la OPERACIÓN de la pierna), cuando le he reconocido y por poco no grito de la sorpresa.

El Gigante caminaba como siempre, como si tuviera muelles en vez de rodillas, bamboleando los brazos de orangután, las palmas vueltas hacia dentro y los ojos fijos en alguna idea tenebrosa. No se había dado cuenta de que lo miraba.

He pensado enseguida en la pared, en el ladrillo que faltaba, en los cómics de Dragon Boy.

No podía decirle a mamá que era imprescindible que me apease, ni, siendo ya de noche, pensar en salir de casa con alguna excusa. Así que me he quedado en el coche, mirándolo desde el cristal de atrás, muriéndome de curiosidad por saber qué demonios hacía por aquellos barrios.

Desde entonces no hago más que pensar en él, en la posibilidad, por increíble que parezca, de que él sea ¡¡¡¡el autor de los cómics!!!!

Antes de cenar, ha sonado el teléfono. Ha respondido mamá. Luego ha venido para decirme que era la madre de Marietto. He pensado que se habría atragantado con uno de sus bocadillos de beicon y que quería contárnoslo.

Pero no. Marietto estaba fenomenal y su madre solo quería invitarme a la fiesta de cumpleaños de su hijo, la próxima semana.

Yo he puesto cara de «¡No quiero ir!», pero mamá me ha dejado claro que no podía decir que no, ni pensarlo siquiera.

–Nos conocemos desde hace un montón de años –ha dicho– y no quiero QUEDAR MAL.

«En esa fiesta no me quiere ni Marietto ni el resto de la clase», he pensado. «Solo su madre. O ni ella, pero le agobia no decírmelo».

–También irán algunos compañeros de primaria –ha dicho mamá con alegría.

He pensado que a lo mejor están Casagrande y Da Lio. Y por eso he aceptado.

MIENTRAS IBA EN EL 12, me he imaginado la cara de trol del Gigante sentado en un escritorio minúsculo en su minúsculo dormitorio, dibujando con un minúsculo bolígrafo de punta fina las viñetas de Dragon Boy. ¡¡¡Y me he quedado convencido de que **NO** puede ser **ÉL**!!!

Bueno, me he dicho, quizá haya puesto el cómic en la pared por encargo de su verdadero autor. Y entonces SABRÁ quién es.

Pero ¿cómo consigo que confiese? A alguien como el Gigante no le puedes agarrar del cuello, tirarlo contra la pared y gritarle a la cara ¡¡HABLA!! ¡Tampoco puedes atarlo a una silla y ponerle babosas en los calzoncillos! Antes de que lo toques, ese ya te ha anudado los brazos alrededor del cuello tipo bufanda.

En el recreo he estado observándolo, con peligro de mi propia vida.

Él se ha dado cuenta y me ha hecho un gesto con la barbilla, como diciendo: **«¿Qué pasa? ¿Quieres que te arranque la cabeza, quizá, y luego te la monte del revés?»**.

Después ha venido hacia mí, con su andar de orangután, potente como un tren lanzado a toda velocidad.

—**¿Qué estás mirando, eh?** —me ha preguntado con su tono de hombre de Neanderthal.

Pero yo, con toda la calma que no tenía, le he preguntado con sencillez:

—¿Te gustan los cómics?

—**¿Los cómics?**

—Sí —he repetido—, los cómics. Eso que tiene viñetas y bocadillos...

—**Sé perfectamente lo que son los cómics** —ha voceado—. **Yo con los cómics me limpio el...** (el resto prefiero no escribirlo, pensando en la policía que algún día podría leer estas palabras y también en mis padres, lógicamente: HOLA, MAMÁ; HOLA, PAPÁ).

—¿No has encontrado los mensajes?

—**¿Qué mensajes? ¿Mensajes en botellas? ¿Mensajes de otro planeta?** —se ha reído.

Y yo, de una, sin respirar:

—Te he visto delante de Villa Feliz.

—**¿Por qué? ¿Está prohibido?**

—No. Pero sé lo que haces allí.

Él me ha mirado sorprendido y por un momento he tenido la impresión de que se había puesto rojo.

—**¿Lo sabes?** —ha repetido.

Yo he asentido.

Entonces ha gruñido como un cerdo y luego ha dicho:

—**Será mejor que te ocupes de tus asuntos. ¿Entendido?**

Y me ha dejado en paz, sin ni tocarme.

No hace falta ser Sherlock Holmes para darse cuenta de que el Gigante esconde algo. ¡Igual voy por buen camino!

Mañana es la fiesta de Marietto, y en la última clase Paolini se me ha acercado muy serio susurrando:

—¿Necesitas la dirección?

Luego se ha reído en mi cara.

«No», he pensado. «No necesito la dirección». Aunque esta vez me gustaría mucho terminar en medio de un campo y volverme enseguida a casa.

ESTA NOCHE HA LLEGADO DOMI.

Para cenar había san jacobos con puré, que es uno de sus platos preferidos.

Luego mamá ha contado que ha llamado tía Ester. Quería decirnos que tiene que ir al hospital para operarse la catarata del ojo izquierdo la semana que viene. Mamá le ha preguntado si podía acompañarla alguien y ella ha dicho que va a buscarla una persona del Ayuntamiento y la lleva en coche adonde ella quiera.

–Tengo un CHÓFER a mi disposición –ha dicho la tía.

–La catarata –ha explicado papá– es una especie de velo que aparece en los ojos a una cierta edad.

–¿Cuántos años tiene la tía Ester? –ha preguntado Domi.

Mamá y papá se han mirado.

Yo hubiera dicho que por lo menos cien. Pero como no estaba seguro, he permanecido callado.

–Debe de ser como la tía Marta –ha dicho papá.

–O sea, que dos más que el abuelo Alfio –ha respondido mamá.

–No, el abuelo Alfio es del **31**. Tía Marta es del **29**. ¿O del **28**?

–La próxima vez se lo pregunto.

–En cualquier caso –ha dicho mamá–, antes o después va a necesitarnos. Está sola. Está lejos.

En nuestra familia se habla mucho de ella. La tía Ester hizo esto, la tía Ester se rompió lo otro, la tía Ester cuenta que, la tía Ester por aquí, la tía Ester por allá. Se habla de ella mucho más que de los abuelos. Y eso no me gusta.

Pero, luego, no la vemos nunca. Pensándolo bien, es como si fuera ***INVISIBLE.***

Y nunca se casó.

–Si se hubiera casado –ha dicho mamá–, tendría a alguien que se ocupase de ella.

–¿Te casaste conmigo por eso? –ha preguntado papá, sorprendido–. ¿Para que alguien te acompañe a los médicos?

–¿Cómo…? ¡Por supuesto que no!

Papá se ha puesto a reír.

–¡Estaba bromeando! Pero tienes razón –ha seguido–. Antes o después tendremos que ocuparnos nosotros. Nos guste o no. La catarata es el problema menor. ¡Tía Ester tiene una prótesis en la cadera, dos hernias de disco y una válvula reemplazada en el corazón!

En resumen, papá considera un milagro que la tía vaya y venga sola por el mundo.

–¿Y los abuelos? –he preguntado–. ¿Cómo están?

–¿Qué tienen que ver los abuelos? –ha dicho papá.

–¿Cómo están? ¿Tienen enfermedades o válvulas extrañas?

Me ha dado la impresión de que papá se apagaba. Primero estaba eufórico, ahora ni me miraba a los ojos. Ha posado la vista en el teléfono como si fuera a sonar justo entonces, y estoy convencido de que pensaba que hacía ya mucho que no oía la voz del abuelo Alfio y que igual no estaba bien y que un buen hijo tendría que llamar a sus padres de vez en cuando.

–Cuando crees que ya no tienes nada, siempre te queda la familia –ha dicho Domi como si lo estuviera leyendo en un libro.

Ha sido como si se hubiera puesto en movimiento todo el mundo, después de haberse parado por un breve momento. No sé qué quería decir con esa frase y si se refería a la tía Ester o al abuelo Alfio o a papá. Solo sé que papá ha asentido y por fin ha apartado los ojos del teléfono. Mamá ha pasado por detrás de él y le ha posado la mano sobre el hombro, suavemente.

HE ECHADO UN VISTAZO AL LIBRETO.

Estaba ahí, entre los cuadernos, y los ojos se me han quedado prendidos.

La historia de mi personaje es rara, me ha hecho recordar lo que le está pasando a Domi.

El hombre de hojalata quiere que el mago de Oz (el fracasado, ese que simula ser un mago) le regale un **CORAZÓN**. De hecho, él no lo tiene por culpa de la Bruja Mala del Este. Cuando el leñador de lata no era todavía de lata, sino de carne, se enamoró de una muchacha guapísima. Pero la bruja, envidiosa, hechizó el hacha del leñador y esta empezó a desmenuzarlo por aquí y por allá. Primero una pierna, luego la otra, luego un brazo, luego el otro, y en cada ocasión el leñador iba a una especie de herrero que le construía las piezas nuevas con acero, como si fuera un SUPERHÉROE. Pero al final la bruja hizo que el hacha le diera en el corazón. Y un corazón de acero no se podía hacer, por eso el leñador se puso tristísimo.

«Cuando estaba enamorado, era el hombre más feliz de la Tierra. Pero nadie puede amar si no tiene un corazón. Y si no amas, no puedes ser feliz».

Estas son algunas de las frases que tengo que decir y dichas por mí dan un poco de risa. Pero si pienso en Domi, me da la impresión de que están escritas casi para ella. A lo mejor ella también necesita un **CORAZÓN NUEVO.**

Qué lástima que no exista ningún mago de Oz a quien pedírselo.

DESDE HOY en el perfil de Lookatme está mi foto.

Me refiero a mi **AUTÉNTICA** foto. Me he quitado las gafas y he cerrado la boca (así no se ve el aparato de dientes). Y me he puesto el pelo hacia delante (así no se ve el imán del implante que llevo en la cabeza).

Pero Deborah no estaba en línea. Y no puedo esperar a que se conecte porque ya son las 15.00 y ¡dentro de nada me voy a la **FIESTA DE MARIETTO**!

Mi madre conoce perfectamente la casa de los padres de Marietto. Y ha insistido en acompañarme.

Luego escribiré cosas de la fiesta.

La fiesta ha sido una verdadera PORQUERÍA. De nuestro cole, además de los de mi clase, estaban Daniele, el rubito de la I B, y unos cuantos que iban con Marietto a la guardería. Y luego Acco, De Luca y la Visco, que venían en primaria con Marietto y conmigo. Ni Casagrande ni Da Lio.

Había música a todo meter y algunas chicas bailaban. El único chico que bailaba (bueno, que se movía un poco) era Daniele. Daba un poco de risa, pero a las chicas les parecía «lo más» y revoloteaban a su alrededor.

Los otros chicos (salvo yo) estaban juntos, apelotonados, mirando a una y a otra, y riéndose.

Sara me ha dicho que si bailábamos. ¿Alguien ha oído alguna vez una estupidez más estúpida que esa?

Le he respondido:

—¡ANTES MUERTO!

Durante un rato he estado con ella (o sea, CERCA de ella, que bailaba como una posesa) y con los compañeros de primaria, pero con ellos no sabía de qué hablar. Y, además, Sara me incordiaba porque estaba todo el rato encima de mí y no quería que alguien pensara que era mi chica. Así que he decidido irme a merendar.

Había un montón de bocatas de beicon, los preferidos de Marietto, que se estaba poniendo como un cerdo. He probado las pizzitas, pero estaban frías y duras y se me pegaban al aparato. Así que he acabado en el bol de las patatas fritas.

Cuando ya no podía más de música, me he apagado el implante. Me he acercado a De Luca y a Acco, pero no entendía lo que me decían y, como las patatas me habían dado sed, he ido a buscar algo de beber.

En la mesa de las bebidas Nerini y Labranca estaban haciendo unos eructos colosales y las chicas salían corriendo espeluznadas mientras ellos se mondaban de la risa.

De pronto alguien ha dicho que había llegado la hora de JUGAR A LA BOTELLA.

A la botella se juega así: te sientas en círculo, chicos y chicas, y en medio se coloca una botella, vacía y tumbada. Luego hay que hacerla rodar y, cuando la botella se para, hay que ver hacia quién apunta el cuello; por ejemplo, a un chico. Luego hay que hacerla rodar de nuevo para que apunte a una chica. Luego, los dos que ha elegido la BOTELLA se van y se besan en la boca. Cuando regresan, se vuelve a hacer girar la BOTELLA. Es un juego bastante chorra, pero si hay una chica que te gusta se transforma en un juego MEGAGUAY.

Yo no quería jugar, pero Sara ha dicho que yo también tenía que participar.

La botella se ha parado frente a mí y, luego, frente a la Conte, que de cara no está mal. Entonces todos se han puesto a reír y yo me he puesto **SUPERROJO** y ella, algo fastidiada, ha dicho:

—*Vamos.*

Nos hemos ido a la otra habitación y ella me ha dicho:

—*¿Te importa que no nos besemos?*

Me he sentido aliviado porque en realidad estaba muy nervioso y me había puesto a sudar. Así que le he respondido que vale. Ella ha mirado el reloj y ha dejado que pasaran unos minutos. Luego ha dicho:

—*Ya podemos volver.*

Yo me sentía bien porque los otros pensaban que nos habíamos besado de verdad y me he dado cuenta de que hasta Ronchese me miraba con envidia.

Las niñas han empezado a hacer rimitas tontas y a burlarse. Creía que la habían tomado conmigo. Pero era con la Conte, que se ha puesto como un tomate.

Entonces Marietto la ha señalado y con un tono de cantilena (no sé si se parecía más a la voz de un niño pequeño o a la de un niño poseído de peli de terror) ha empezado a cantar:

—**LA CONTE HA BESADO A STANGHELLI...**

Las chicas enseguida le han seguido la corriente:

—**LA CONTE HA BESADO A STANGHELLI...**

—**LA CONTE HA BESADO A STANGHELLI...**

He mirado a la Conte y he visto que tenía los ojos brillantes y estaba a punto de llorar. Creo que se moría de la vergüenza.

Entonces, aunque yo estaba sudando y me había puesto también como un tomate, he dicho:

—No nos hemos besado.

Las chicas han dejado de cantar.

—Solo lo hemos hecho ver —he explicado.

Me he dado cuenta de que la cara de la Conte volvía a su color normal. Se ha levantado y un momento antes de sentarse me ha lanzado una mirada furtiva. No era una mirada de enfado, sino una especie de **«gracias»** al aire, que solo yo podía recoger al vuelo.

Ronchese, en cambio, ha estallado en carcajadas y eso ha sido como una señal para que todos los chicos se pusieran a reír también.

Y Marietto, moviendo su gran cabeza, ha añadido:

—¡MAX, ERES UN AUTÉNTICO PRINGADO!

He mirado a la Conte, pero su breve momento de humanidad había terminado con aquella mirada. Esperaba que la fiesta acabara en aquel preciso instante, que se hundiera el techo, que alguien se pusiera enfermo, que explotase una tubería del gas, algo así.

Pero no ha ocurrido nada (cuando se piensa intensamente en algo y se desea que ocurra, NO SUCEDE NUNCA, querida Domi; los pensamientos no plasman absolutamente NADA y ¡menos la realidad!) y yo he permanecido en esa estúpida fiesta durante una hora larga más, hasta que por fin mi madre ha venido a buscarme.

En casa estaba Domi.

Me ha preguntado qué tal la fiesta y yo le he dicho:

–Bien, salvo que no veía la hora de que terminase.

Pero ella, en vez de preguntarme por qué no me había divertido, ha sonreído y me ha respondido:

–Estoy contenta por ti –y se ha ido a hacerse un té.

O sea, ¡ni siquiera me estaba escuchando! ¡Ella no hace ese tipo de cosas!

Está claro que no es la misma de siempre. Lo intenta, pero se nota que no es ella. No lo consigue. Es como si estuviera detrás de uno de esos cristales gruesos a través de los que solo ves las siluetas. Como los de los carruseles, los laberintos de espejos. Eso es, Domi está en un laberinto y no consigue encontrar la salida.

Esta noche la he visto abrazada a GORDI (y él parecía a punto de decir: «Por favor, bájame, que con todo lo que he comido voy a vomitarte encima») y dándole un besito en la nariz.

Debe de ser todavía por el chico ese de la universidad. ¿Cómo era eso?

«Cuando estaba enamorado, era el hombre más feliz de la Tierra. Pero nadie puede amar si no tiene un corazón. Y si no amas, no puedes ser feliz».

Mañana quiero hacer algo por Domi, para ayudarla.

A lo mejor alguien le tiene que mostrar la salida.

UNA VEZ PAPÁ TRAJO A CASA un corazón de madera. Era una especie de anuncio, algo que le regalaron.

LA LEÑA DA CALOR AL HOGAR

está escrito en un lado.

Es tan grande como un melón, y de color claro, con las vetas algo más oscuras.

Papá dijo que me lo podía quedar, para jugar, y yo me lo colgué del cuello con una cuerda y simulaba que era mi corazón.

Esta mañana lo he estado buscando y lo he encontrado al fondo de la cesta de mis viejos juguetes, bajo una montaña de muñecos y de cochecitos. Lo he limpiado con un trapo y lo he olido. Todavía huele a madera. Le he puesto una cinta roja alrededor, una que estaba en el huevo de Pascua, así parece un auténtico regalo. Luego se lo he mostrado a GORDI y le he preguntado:

—¿Qué te parece?

Él no me ha contestado. Se ha limitado a mirarme con su expresión de mareo y yo me lo he tomado como un sí.

He tenido el corazón escondido en el armario durante todo el día, preparado para regalárselo a mi hermana. Y antes de la cena le he preguntado a Domi si podía venir a mi cuarto.

—Es para ti —le he dicho, dándoselo. Estaba muy emocionado porque no sabía qué cara iba a poner.

Ella ha abierto mucho los ojos.

—¿Para mí?

Yo he hecho que sí con la cabeza.

—Para ti —he repetido como un papagayo.

Y luego he añadido:

—Tal vez necesites un corazón nuevo porque el tuyo se ha roto.

Y me he puesto rojo porque le había dado a entender que conocía su historia con ese tipo de la universidad y no estaba seguro de que ella quisiera que lo supiese.

Se le han humedecido los ojos y se le ha escapado una lágrima.

Entonces yo me he dicho que había sido un **ESTÚPIDO**, porque en vez de conseguir que estuviera mejor había conseguido que estuviera peor. La había hecho **LLORAR**.

—Perdona —he dicho quitándole el corazón.

—¿Qué haces?

—Mejor que me lo lleve.

—¿Por qué?

—Quería subirte la moral porque te veía triste. Pero te he hecho llorar.

Entonces ella ha cogido el corazón y me ha abrazado muy fuerte, y durante tanto rato que creía que se había desmayado o algo así, ¡y un poco más y me quedo sin respiración!

—¡Gracias, Max! —ha dicho al final—. ¡Eres el mejor hermano que una hermana puede tener!

Y yo: —¿De verdad?

—¡De verdad! —ha repetido sonriendo, y mientas sonreía, lloraba—. ¡Un corazón nuevo era justamente lo que necesitaba!

¡PRIMER DÍA de ensayos del **MALDITO** musical!

La profesora Ferri nos ha colocado en el escenario del AUDITÓRIUM, cada uno con el cuadernillo del texto que se corresponde con su papel en las manos.

En clase todos tenemos un papel, grande o pequeño, todos hacemos algo. La historia de *El mago de Oz* tiene muchísimos personajes. Además de la niña, el hombre de hojalata (que **SE SUPONE** que soy yo), el espantapájaros, el león y el mago, están los tíos de la niña, las brujas (Norte, Sur, Este y Oeste), los **MUNCHKINS** (unos extraños seres vestidos de azul), el guardián de las puertas de la Ciudad Esmeralda (un hombre verde vestido de verde), los monos voladores, los habitantes del País de Porcelana, los cabezas de martillo de la Colina de los Cabezas de Martillo y los **QUADLINGS** (otras criaturas extrañas de color rojo).

La profe nos ha dicho que leyésemos los diálogos y, mientras, ella nos diría cómo movernos por el escenario. A esto se le llama **DIRECCIÓN**, ha explicado. De hecho, la profesora Ferri, además de interpretar el papel de la Bruja Buena del Sur, es también la **DIRECTORA** del espectáculo.

Algunos se la tomaban en serio (como la Conte y Sara), otros no paraban de decir chorradas (**¡ADIVINAD QUIÉNES!**).

Ronchese daba grititos de mono aunque no tocase y, de vez en cuando, incluía algún que otro eructo, y Serracchiani lo imitaba, claro. Y la profe ha estado a punto de echarlos a los dos.

Algunos leían sin respetar la puntuación y no se entendía nada, otros no atendían a los textos de los demás y, cuando les tocaba, respondían:

—¿Eh?

Unos cambiaban de voz; otros se reían porque, como yo, se veían ridículos... Y la profe parecía un domador dentro de una jaula de leones locos.

En fin, un desastre.

Al salir del cole, estaba pensando en este asunto y en que no quería saber nada más de aquel INÚTIL musical, cuando he oído a alguien hablar en voz muy alta. He mirado y he visto gente asomada al puente que atraviesa el canal junto a la parada del autobús. Había algo abajo, en el agua. Me he acercado.

—¡Se ahoga! —ha dicho alguien.

—No —ha respondido otro—. No se ahoga.

He mirado. Me ha parecido que sí corría el riesgo de AHOGARSE.

Era un GATO, pero con el pelo empapado y aquellos bigotes, casi parecía un ratón.

Cerca de mí estaban Serracchiani, Ronchese y Labranca, dándose codazos. Me da que lo habían tirado ellos al agua. Y si no lo habían hecho ellos, les habría encantado hacerlo.

Una persona había bajado a la orilla y trataba de alcanzar al gato con las manos. Pero él se sacudía y estaba ya en el centro del canal, maullando.

MIAUUUUUUUUUUUUUUUU

No sabía qué hacer. Me daba pena, pobrecito, pero no sabía cómo ayudarlo. Si hubiera tenido un flotador o una cuerda que tirarle... Y de pronto se me ha ocurrido algo.

He bajado hasta la orilla, resbalando por la hierba y la tierra mojada a causa de la lluvia de ayer, y durante un segundo he pensado que si yo también terminaba en el canal iba a cubrirme de gloria. Menudo ESTÚPIDO que, por salvar a un gato, ¡se ahoga él!

He llegado a la orilla, me he arrodillado y he alargado la muleta hasta el gato. (Me ha acostado horrores arrodillarme porque me duele la pierna, la torcida).

«Venga, gato bobo», he dicho para mí, «¡agarra la maldita muleta!».

Primero se ha alejado, como si tuviera miedo, pero luego debe de haber pensado que se trataba de la rama de un árbol y se ha agarrado con uñas y dientes.

—Venga, ¡no te sueltes que voy a tirar de ti! —he gritado.

El gato (un gatazo grande y pelirrojo) ha llegado a tierra, ha soltado la muleta y se ha sacudido para quitarse el agua de encima. Luego se ha dado a la fuga, desapareciendo en dirección a los edificios.

«Gracias, ¿eh? ¡Perdona que te haya salvado la vida!».

Cuando he regresado arriba, la profesora de lengua, me ha dicho que había demostrado coraje, pero que podría haberme caído al agua. Que no lo volviera a hacer.

—No lo hagas nunca más, Stanghelli —ha dicho—. Mejor tú, que un gato callejero, ¿no te parece?

En el puente ya no había nadie. Fin del espectáculo.

Mientras me iba, he visto que Sara me miraba de lejos. Ha levantado el pulgar, como un emperador romano, y me ha sonreído.

Lo he contado en casa. Pero no porque esperara que me felicitaran.

Lo he hecho porque me gustaría tener un animal. Me gustaría de verdad. A lo mejor podría ver si ese gatazo rojo está buscando casa.

Pero mis padres han dicho que un animal es una responsabilidad, que no es algo que se decida así de un día para otro. Que traducido del PATERNOL equivale a un NO grande como una casa.

–Y además –ha añadido mamá–, ahora está Pablo. Un animal podría darle alergia.

–Pero ¡Pablo no vive con nosotros! –he objetado.

–Probablemente venga cuando sea algo mayor –ha respondido mamá–. Puede que se quede a dormir o durante unos días, así Carolina y Giorgio podrán tomarse unas vacaciones.

Casi me muero de pensarlo. ¿¿¿Compartir mi casa con esa criatura de CACA color crema pastelera???

Al final, para consolarme, papá ha añadido que la tía Ester también salvó una vez a un animal que estaba ahogándose en el río. Debía de ser una niña todavía y ¡se tiró al agua aunque fuera invierno! Y luego tuvo que permanecer dos meses en cama a causa de una BRONCONEUMONÍA.

Pues vaya historia.

—¿Escribirás un artículo sobre el salvamento del gato? —le he preguntado.

—Me gustaría, Max —ha respondido—, pero estos días estoy realmente ocupado con…

—… tu investigación —he terminado yo.

—Max, es una olla a punto de explotar…

—¿Eso qué significa?

—Que están saliendo cosas a relucir. ¡Hay cargos que van a saltar por los aires! Hay gente que ha ganado tanto con este asunto y yo he encontrado a alguien dispuesto a hablar, a decir la verdad.

—Pero ¿eso no tendría que hacerlo la policía? —he objetado.

—A veces los buenos periodistas indagan como los policías.

—¡Y tú eres un buen periodista!

—No lo sé —ha respondido—. Me gustaría.

¿SABES QUE ERES MUY MAJO?

Deborah. 17.20 horas.

Yo no sabía qué responder, por eso le he escrito que el sábado estuve en una fiesta y jugué a la BOTELLA y una piba me besó.

Ella ha puesto: ¡¡¡¡¡¡Estoy celosa!!!!!!

Me ha gustado.

Luego, ha dicho que le gusta bailar y yo he pensado que a todas las chicas les gusta bailar.

Tendría que haber contestado que me gusta el fútbol porque a todos los chicos les gusta el fútbol.

Pero a mí no. Jugué de portero una vez en el colegio, y me bastó, me dieron tantos balonazos que creía ser la pelotita de una máquina tragaperras.

Por eso le he puesto:

A mí me gusta el orden.

Y he añadido:

Y la investigación.

No sé por qué lo he hecho. A lo mejor para parecerle muy misterioso o porque, tanto mi padre como yo, en cierta forma, estamos haciendo de Sherlock Holmes.

–¿Qué estás investigando? –me ha preguntado.

Y yo:

–¡Misteeeeeeerio!

Y ella:

–¡¡¡¡¡¡Enhorabuena por tus investigaciones, Sherlock Holmes!!!!!!

Seguido por una fila de lupas.

Esta noche, después de la cena, papá ha llamado al abuelo Alfio.

Yo tendría que haber estado ya en la cama, pero como tenía sed me he levantado para ir al baño a beber.

No he oído bien lo que se decían, pero papá parecía tranquilo.

Ha estado un buen rato al teléfono, tanto que mamá ha ido un par de veces a controlarlo (a lo mejor, porque el teléfono es cosa suya).

–Bien, papá –ha dicho papá al final, lo que es bueno porque normalmente al abuelo le llama solo Alfio, como si no fueran ni parientes.

Y cuando ha colgado, se ha quedado un rato mirando el aparato.

Al regresar al salón, canturreaba.

YA ESTAMOS OTRA VEZ. Segundo ensayo para el musical.

Comparándolo con la vez anterior, todos estaban más serios, parecían más interesados. Todos menos yo.

De todos modos, he leído mis TEXTOS, y he hecho lo que quería la profesora. Y cuando nos ha obligado a cantar esa canción ESTÚPIDA del sendero de baldosas amarillas, yo he abierto la boca sin decir ni mu. Durante un rato ha ido todo bien, hasta que la profe se ha puesto a mi espalda para preguntarme:

–Stanghelli, ¿por qué simulas cantar? ¡Pareces un pez en un acuario!

Y todos a troncharse de la risa.

–No me gusta cantar –he respondido.

–¿Por qué? Cantar es como hablar, solo que con música por debajo.

Yo me he quedado callado, pero pensaba que no era verdad, para nada.

Marietto tiene problemas para aprenderse el papel. Dice que es porque le baja el azúcar, que tendría que comerse un bocata para recordar mejor las cosas.

La profe le ha dicho que se comerá el bocata cuando termine el ensayo.

De pronto me ha venido a la cabeza esa frase que mamá me ha repetido **1.000** veces, a lo mejor **1.000.000** de veces.

Uno es valiente cuando, sabiendo que la batalla está perdida de antemano, lo intenta a pesar de todo y lucha hasta el final pase lo que pase.

Habla de valentía, como el personaje de Marietto; o sea, el león.

Y no sé muy bien por qué, pero he recordado la llamada de papá al abuelo.

Continúo pensando en el hombre de hojalata, en el corazón que ya no tiene. Y pienso en Domi.

Y también pienso en las demás partes del cuerpo que el hombre de hojalata tampoco tiene porque le han sustituido. Y pienso en MÍ. Esas partes me hacen recordar las partes de mí que no funcionan bien. Y también, la operación que el doctor Turri y mis padres quieren que me haga.

¿Y si me despierto con una PIERNA DE HOJALATA?

HAN PASADO DOS DÍAS y he visto al Gigante que pasaba de nuevo por delante del muro de Villa Feliz.

Había salido para comprar un boli borrable en la papelería que está en la esquina de la calle y LO HE VISTO.

Caminaba por debajo del muro justo en la dirección del agujero. Y le he seguido.

Seguir al Gigante sin que él se dé cuenta significa A-RRIES-GAR-LA-VI-DA.

Pero mi investigación a lo Sherlock Holmes es DEMASIADO importante para detenerse ante estos detalles.

¿Qué importa que te golpeen hasta hacerte sangre,

perder dos dientes y un ojo si, a cambio, **DESCUBRES LA VERDAD**?

He puesto atención para que no me viera. Me he mantenido distante y he caminado de espaldas, así si se daba la vuelta no me reconocía.

Pero él caminaba como de costumbre, como un autómata, con el cerebro apagado, sin fijarse en lo que tenía a su alrededor.

Ha pasado por debajo del hueco del muro sin ni mirarlo, y ha girado la esquina y se ha metido justo en la papelería a la que iba yo.

He esperado un poco, pero luego, viendo que no salía, he decidido entrar.

El boli tenía que comprarlo. ¿Qué iba a hacerme? ¿¿¿Pegarme porque tenía que comprar un BOLÍGRAFO???

Así que he hecho de tripas corazón y he asomado la cabeza.

El Gigante no estaba.

He mirado a mi alrededor, sorprendido, porque estaba segurísimo de no haberlo visto salir. ¿Dónde se había metido?

–¿Deseas algo? –me ha preguntado el hombre de detrás del mostrador.

–Sí –he contestado. Hubiera querido añadir: «¿Dónde demonios ha ido a parar esa especie de trol que acaba de entrar?», pero he dicho–: Quiero un bolígrafo borrable azul.

Entonces él ha llamado:

–¡FAAAAAAAAAAAAAABIO!

Y ha aparecido el Gigante.

De la sorpresa, he dado dos pasos hacia atrás y me he empotrado contra una estantería. Se ha caído de todo: ¡bolígrafos, rotuladores, lápices, acuarelas, reglas, escuadras, cuadernos!

–¿Qué haaaces? –ha dicho el del mostrador, imitando a la perfección al profesor Pirro cuando dice: «Sileeeeencio».

–PERDÓN... –he balbuceado.

Me esperaba que el Gigante se mondara de la risa, pero no. Me miraba como si estuviera sorprendido de verme allí, ante él.

Yo he empezado a recoger lo que había tirado, pero el hombre ha salido de detrás del mostrador y me ha dicho:

–Déjalo, que no sabes dónde van las cosas –luego se ha vuelto al Gigante–: Enséñale los bolígrafos borrables.

El Gigante (Fabio) ha cogido una caja de bolígrafos y me la ha puesto debajo de la nariz.

He simulado que miraba unos cuantos, pero estaba pensando qué decir.

–Pero ¿tú trabajas aquí? –le he preguntado por fin.

Él ha hecho que sí con la cabeza.

–¿Os conocéis? –ha preguntado el hombre, que ya había colocado todas las cosas en su sitio.

–Vamos al mismo colegio –he respondido.

Ahora que lo miraba bien, el hombre también era una especie de gigante.

–Es mi tío –ha dicho el Gigante señalándolo–. Le echo una mano.

¿Dónde había ido a parar el maltratador del colegio? Parecía otro. Increíble. Me ha producido ternura, como un cachorro de elefante o de buey almizclero o de orangután.

–Suerte que tienes –le he dicho.

–¿Por qué?

–Porque así ganas dinero –«y no me lo vienes a pedir a mí», tendría que haber añadido.

–Entonces –ha dicho él–, ¿quieres el boli o no?

–Sí –he respondido–. El azul.

Me lo ha puesto en una bolsa de papel y luego le ha dado el dinero a su tío, en la caja.

–Hasta la vista –he dicho, saliendo.

Él, Fabio, ha levantado la mano, una mano realmente GIGANTE, una mano con la que había derribado a varias personas, he pensado, y la ha tenido así hasta que me he marchado.

¡Este era su *MEGASECRETO*!

Ahora he entendido por qué aquel día en el colegio, cuando le dije que sabía lo que hacía, no me rompió la cara a puñetazos.

¡Creía que yo sabía que trabajaba en la papelería! Y se avergonzaba de que se enteraran los demás.

¡Y yo que creía que tenía algo que ver con

DRAGON BOY!

HACE UN RATO he llamado a Domitilla. Al móvil.

Quería decirle que no voy a salir en la obra.

Ella sabe de cine, espectáculos y demás (como estudia Arte). Por eso he decidido que hablaría con ella.

Y, además, quería saber cómo estaba, cómo sonaba su voz.

—Dígame.

—Soy Max.

—¿Qué ha pasado?

—Nada. Quería hablar contigo.

—¡Ah! Pues muy bien. ¿Cómo te va?

—¿Sabes que en el colegio estamos ensayando para representar una obra de teatro? —le he preguntado.

—¿De verdad? ¡Es fantástico!

(Ha dicho «¡Fantástico!», pero el tono no era *¡FANTÁSTICO!*).

—Mamá y papá todavía no lo saben —he dicho.

—¿Por qué?

—Es que no quiero participar.

—¿Por qué?

—Pues...

—¿Cómo que «pues»?

—Me da vergüenza.

—¿Te da vergüenza?

No he respondido. Era inútil decir dos veces lo mismo.

Entonces ella se ha reído.

—¿Por qué tendría que darte vergüenza? ¡Un espectáculo es algo bonito y divertido!

—No para mí.

—También para ti. ¿Qué obra es?

—*El mago de Oz.*

—¿Bromeas? ¡Es uno de mis libros preferidos! ¿Qué papel tienes?

—El hombre de hojalata.

—¡El leñador! ¡Es un papel precioso! ¡Dime que lo vas a hacer!

Yo no he respondido.

Ella ha dicho:

—El viernes, cuando regrese, te ayudo a prepararlo. ¿De acuerdo?

—No sé.

—¡Venga!

—Tal vez.

—Di sí.

—Tal vez.

—Te quiero —ha dicho antes de colgar.

Y me ha parecido que el tono de su voz sonaba de pronto menos apagado.

HOY ME HE PASEADO por todo el colegio haciendo preguntas a todo el mundo.

Preguntas del tipo:

—¿Te gustan los cómics?

—¿Conoces Villa Feliz?

—¿Sabes dibujar?

—¿Te gustan los dragones?

—¿Has recibido mensajes?

Pero no he llegado a ninguna conclusión.

A lo mejor debería dejarlo.

Escribo otra nota y mañana la meto en el hueco.

Querido autor de Dragon Boy:
Me he dado cuenta de que en tus cómics pasan cosas que se parecen a otras cosas que me pasan a mí.
¿Vamos al mismo colegio por un casual?
Me gustaría mucho ser tu amigo.
Pero entre amigos hay que contarse las cosas y ser sincero.
¿Tú qué crees?

Tu AMIGO Max

Cuando he acabado de escribir la nota, me he acordado de Deborah.

Aunque solo sea en el chat, es mi amiga. Y si es verdad que entre amigos hay que ser siempre sincero, creo que yo, en cambio, le he dicho un montón de mentiras.

—¡¡¡HOY VAMOS A ENSAYAR en el AUDITÓRIUUUUM!!! —ha dicho la profesora Ferri en cuanto hemos entrado en clase. Lo ha dicho como si anunciase una excursión o qué sé yo qué.

Esperaba que se hubiese olvidado. O que hubiera decidido dejarlo estar, al ver la POCA PARTICIPACIÓN de nuestra clase.

Aparte de la Conte, Sara y unos cuantos más, el resto damos *PENA.* Incluido yo.

Yo he hecho lo mínimo indispensable, o sea, **NO** he cantado (lo hacía ver) y he repetido mis textos como todos los demás, o sea, *MAL.*

Cuando la profesora ha preguntado:

—¿Estáis estudiando el papel en casa?

Yo he asentido como todos los demás.

Luego ha llegado el director.

—Veamos qué saben hacer estos benditos niños —ha dicho.

Ronchese ha tenido que parar de pegar gritos de mono mezclados con eructos y Serracchiani, tres cuartos de lo mismo.

Pero yo creía que me moría. ¿¿¿Tenía que interpretar el papel delante del director???

—Venga, oigámoslo —ha dicho el director cruzándose de brazos, como diciendo: «No me muevo de aquí hasta que no me mostréis algo»—. Ánimo, continuad desde donde os he interrumpido.

La profesora Ferri nos ha hecho una seña para que continuáramos.

Estábamos en la escena en la que Dorothy (Sara), el espantapájaros (Labranca) y yo encontramos al león (Marietto).

Él salta fuera del bosque y trata de morder a Totó, el perrito (FALSO) de Dorothy. Y ella empieza a pegarle. Es una escena graciosa.

—¡No te da verguenza! —dice Dorothy—. ¡Con lo grande y gordo que eres, morder a un pobre perrito indefenso! ¡Eres un cobarde! ¡Eso es lo que eres!

—Lo sé —dice el león—. Todos creen que soy valiente, porque soy grande y gordo. Pero no es cierto (Marietto leía el LIBRETO porque no se acordaba del texto).

Luego le tocaba a Labranca y la profesora, como él no decía nada, le ha dado un golpecito en el hombro.

—No es justo —ha chillado Labranca, o sea, el espantapájaros—. ¡El rey de los animales no puede ser un cobarde!

—Tienes razón —ha dicho, o sea, LEÍDO, Marietto—. Pero no sé qué hacer. Cuando huelo el peligro, el corazón se me pone a mil por hora.

ME TOCABA.

—Tienes suerte. Eso quiere decir que tienes corazón. Yo, sin embargo, no tengo y me gustaría mucho tenerlo.

—¡Bien! —nos ha interrumpido el director—. Pero tenéis que aprenderos el papel de MEMORIA. ¡Durante el espectáculo no vais a poder leerlo!

—Lo aprenderán, estese tranquilo —le ha asegurado la profesora.

—¡Es una bonita historia! —ha dicho el director—. Habla de valor, de cerebro, de corazón. ¿Quién me dice qué significa ser valiente?

Todos han empezado a mirar alrededor para no cruzar la mirada con el director. Parecía un interrogatorio.

—¿Nadie lo sabe? —se ha sorprendido él—. ¡Entonces vosotros tampoco sois valientes! Es importante ser valiente en la vida, de otro modo no se va a ninguna parte. ¿Entonces? ¿Quién es lo suficiente valiente para decirme qué es el valor para él?

Yo no soy valiente, pero tenía una frase bonita preparada.

Y la he dicho.

He oído que mi voz repetía:

—Uno es valiente cuando, sabiendo que la batalla está perdida de antemano, lo intenta a pesar de todo y lucha hasta el final pase lo que pase.

El director (pero no solo el director) se ha quedado en silencio y con los ojos muy abiertos. Luego ha dicho:

—¡BRAVO!

—Bravo, Stanghelli. Es una definición bellísima de valentía —ha añadido la profesora Ferri.

—¿De dónde la has sacado? —me ha preguntado el director.

—De un libro —he respondido.

El director ha sonreído.

—Muy bien —ha dicho—. Visto que la has encontrado en un libro, me gustaría que vuestra profesora la añadiera en el espectáculo. Es una frase que todos deberían escuchar.

Luego el director ha salido. Pero se le veía satisfecho y continuaba diciendo que sí con la cabeza.

Sara se me ha acercado y me ha preguntado de qué libro había tomado la frase.

Yo le he dicho que no lo sabía.

Luego ha venido Ronchese por detrás y, mientras la profesora estaba vuelta y no me miraba, me ha dado tal COLLEJA que por poco me sale volando el aparato.

Para tratar de esquivarla, me he resbalado y me he caído al suelo. La profesora ha venido enseguida a ayudarme y, mientras me levantaba, se me ha subido la camiseta y se me ha visto la espalda.

Unos cuantos han empezado a burlarse y Ronchese, en vez de «¡Qué asco!», ha dicho algo que se me ha metido dentro como una flecha fría y cortante, y allí se ha quedado.

—¡Parece un dragón!

¡¡UN DRAGÓN!!

¿ENTENDÉIS?

MAMÁ HA VISTO el **LIBRETO** sobre mi escritorio.

—¡Qué bonito! —ha dicho—. ¡Vais a representar un espectáculo en fin de curso! ¡Tienes un papel!

—**PUEDE** —he respondido.

Por la tarde, cuando ha vuelto papá, ha corrido a decírselo, ¡ni que fuera la noticia del siglo!

Papá ha dicho que es estupendo y que mamá y él probablemente vengan a verme.

—**PUEDE** —he repetido.

Papá me ha preguntado también si por casualidad tengo intención de seguir los pasos de Domi, o sea, si quiero estudiar también algo artístico. He respondido que no se me pasa ni por la antecámara del cerebro (como dice mamá) y que era la profesora la que había insistido. A mí me trae sin cuidado eso de participar en un **ESTÚPIDO** musical.

—¿Por qué dices que es estúpido? —ha preguntado mamá.

—Porque **ES** estúpido.

—Pues yo estoy convencida de que será una experiencia estupenda.

Lo dice solo porque no me ha visto todavía en la obra.

Entonces la conversación se ha interrumpido porque ha empezado a sonar el teléfono.

Era Carolina. Pablo había vomitado.

Después de cenar, Domi me ha pedido que le mostrara el **LIBRETO.**

—No sé si lo voy a hacer —he dicho enseguida, antes de empezar.

—Sí que lo harás —ha dicho ella—. Participar en un espectáculo es algo que queda para siempre.

—¿En qué sentido?

—En el sentido de que no se te va a olvidar nunca.

—¡Pero la gente me mirará!

(GORDI también me estaba mirando con sus ojitos de indigestión y me decía: «No lo hagas, no lo hagas, no lo hagas»).

—¡Claro que la gente te mira! ¡Se llama PÚBLICO! —ha dicho Domi—. ¡Te mira y luego te aplaude!

—Yo no quiero tener PÚBLICO. Me da vergüenza. Quiero ser **invisible.**

—Pero ¡cómo **invisible**! ¡Venga, no seas payaso! ¡Ensayemos un poco!

He estado resoplando un rato largo, pero finalmente he consentido porque es genial estar con Domi y hacer algo con ella.

Ella me indicaba cómo tenía que moverme o decir el texto y yo trataba de copiarla.

Al final, ha sido divertido. NO quiero decir que haya sido divertido EL MUSICAL, sino ensayar con mi hermana. Es algo MUY distinto.

Cuando le he enseñado el trocito que tenía que cantar, lo del sendero de baldosas amarillas, Domi ha empezado enseguida a canturrearlo. Pero ella lo hace realmente bien.

Luego ha dicho:

—¡Ahora te toca a ti! Es fácil.

Yo me he negado.

No he tenido el valor de decirle que es todo fingido, que

para mí no habrá ningún musical, que antes de la representación tendré un megadolor de tripa y adiós muy buenas.

Y justo mientras pensaba esto, Domi ha empezado con lo del corazón:

–¿Recuerdas cuando me regalaste un corazón nuevo?

En realidad, se trataba solo de un insulso corazón de madera.

De todas maneras, he dicho que sí con la cabeza.

–Ahora soy yo la que te voy a regalar algo.

Luego ha abierto un cajón y ha sacado una de sus pulseras viejas, una de cuero. Me la ha puesto en la muñeca.

–Imagínate que yo soy el mago de Oz– ha dicho–. Y este es el valor que yo te entrego. Llévalo siempre contigo.

Yo he guardado la pulsera como si de verdad fuera una pulsera del **VALOR.**

Y he estado mirándola un buen rato antes de dormirme.

EN EL AGUJERO DE LA PARED
HA APARECIDO UN NUEVO,
SORPRENDENTE,
LLAMEANTE,
EXTRAESTELAR,
MEGAESTRATOSFÉRICO
CÓMIC

DRAGON BOY
AMOR MONSTRUOSO

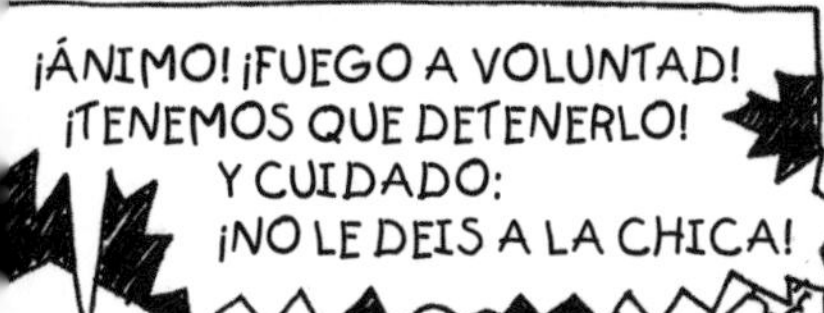
¡ÁNIMO! ¡FUEGO A VOLUNTAD!
¡TENEMOS QUE DETENERLO!
Y CUIDADO:
¡NO LE DEIS A LA CHICA!
PUM
PUM
PUM

KLATAKAN
¡OH!
¡MALDICIÓN!

¿Un coche?
LARGO!

¡NO PODEMOS HACER NADA
CON NUESTRAS ARMAS!
¡PARA ESTO NECESITAMOS A
ALGUIEN EXTRAORDINARIO!

¡AQUÍ ESTOY! LO HE OÍDO TODO. ¡NO
TENÉIS QUE EXPLICARME NADA!
TUMP

UAURGG
¡AAAHHHH! ¡SOCORRO!
¡GUAU! ¡ESTE SÍ QUE ES GRANDE!
¡AAHHH! ¡AYÚDAME, DRAGON BOY!
¡PROBEMOS CON FUEGO!
WOOSH
¡UUCH!
CRRHS
¡NO HAY NADA QUE HACER!

Y SE VA COMO SI NO EXISTIESE.
¡SOCORRO!
UMRG
UIUUU
UIUUU
KRANG
UIUUU UIUUU
¡SE ESTÁ DIRIGIENDO A ESE RASCACIELOS DE FORMA RARA!
¿Qué parece?
WARGH
¡TENGO QUE PROBAR CON EL RAYO ACHICHARRANTE!
¡AQUÍ ESTÁS, MONSTRUO!
GRRR
¡SOCOORROO!
¡VEAMOS SI FUNCIONA!
BZZZZZZ
ZOOOT!
RUARGH

¡AAHHH! ¡SOCORRO!
MUUAARGH
¡SOCOOORROO!
¡AAAHHUUCH!
¡UMPF!
¡GRACIAS, DRAGON BOY, ME HAS SALVADO!
ESTÁ EN MI NATURALEZA.
TUMP
¡OH, DRAGON BOY!
¡HUM!
¿Se besarán?
¡AAAAAAHHH!
?
?
ALGUIEN ESTÁ EN PELIGRO. ¡TENGO QUE IRME! ¡ADIÓS!
¡UFF!
¡MENUDO PRINGADO!
¡¡¡NI SIQUIERA LA HA BESADO!!!

ESTA VEZ Dragon Boy me ha pillado a trasmano. O sea, esta no es la historia típica en la que salva el mundo o a los habitantes de una ciudad o a unos niños que tienen hambre. Esta vez ha salvado a una chica de un monstruo feo y deforme que quería secuestrarla. Y la chica, al final, parecía un poco enamorada de él.

Dragon Boy también tiene sentimientos, ¿no?

Pero qué raro el edificio con forma de botella.

¿No tendrá algo que ver con el juego de la botella?

Hoy nos hemos probado los trajes.

Los trajes los hemos hecho entre todos: padres, profesores, alumnos.

Se puso hasta papá, que, aunque esté ocupadísimo con su investigación, con el plástico y el pegamento con el que hace las maquetas me hizo una especie de casco con forma de embudo. Y luego lo pintó con pintura plateada.

Mi traje está hecho con unos pantalones viejos y una chaqueta pintados de color plata.

La profesora Ferri dice que me tendré que pintar la cara también de color plata.

Luego llevo unas piezas de papel de aluminio en los brazos y en los pies, que parecen de metal, y la muleta que se ha transformado para la ocasión en un hacha (para cortar leña).

Me he mirado en el espejo y casi no me reconocía.

Este asunto de la prueba del vestuario lo he hecho solo para que nadie me acribille a preguntas. Todo es fingido porque al final no me voy a subir al escenario delante de un público real.

Tendré dolor de tripa, la profesora encontrará un sustituto, y a otra cosa mariposa.

A propósito de **TRAJES,** después del mío, el más bonito es el de Marietto. Es un disfraz de león, con melena y todo. Solo que Marietto dice que con el traje puesto apenas puede respirar. Si lo miras bien, con lo gordo que está, se parece algo a GORDI, el peluche gigantesco de mi hermana.

La Conte va de verde total, de la cabeza a los pies, y Paolini, Ronchese y Serracchiani (los monos voladores) llevan unos monos de pelo y máscaras de chimpancés. Tengo que decir que están estupendos, vestidos así, es algo natural en ellos.

Labranca es el que sale peor librado. Su disfraz de espantapájaros es miserable: un traje viejo que le queda pequeño, con varios **PUÑADOS DE PAJA** que le salen de las mangas y de los pantalones. Me parece que esperaba algo mejor.

La profe nos ha hecho una foto a todos juntos. Y después de la foto, Ronchese me ha pegado un golpe en el casco con forma de embudo y me lo ha chafado.

Pero lo peor del día ha sido que he oído a papá y mamá hablando de mí.

Estaban en la cocina y, cuando he llegado al otro lado de la puerta, no me han oído.

Decían que la operación de la pierna hay que hacerla, antes o después. Que es inútil esperar porque «cuanto más se espera, peor es».

Eso es lo que ha dicho mamá.

Esta noche me he preguntado:

«¿**Él** qué haría?» (**Él** es Dragon Boy).

Es fácil de responder. Él iría adelante, siempre y en todos los casos. Él afrontaría el reto, los peligros, todo. Él continuaría.

ÉL ES INVENCIBLE.

Incluso la vez que le cayó encima el meteorito salió adelante.

Él.

Pero yo no soy Dragon Boy.

Una pena.

> **Discapacitado:** *adj. Dicho de una persona: Que padece una disminución física, sensorial o psíquica que la incapacita total o parcialmente para el trabajo o para otras tareas ordinarias de la vida.*

ASÍ MISMO ME SIENTO, disminuido, incapacitado, inferior.

¡¡¡¡¡MALDITA SEA!!!!!

¡Y me gustaría ver a los demás en mi lugar! ¡¡¡Tumbados en la cama y con una pierna INMOVILIZADA!!!

Querido DIARIO, hace unos cuantos días que NO escribo y han pasado UNAS CUANTAS cosas.

Por ejemplo, estoy en el ***HOSPITAL.***

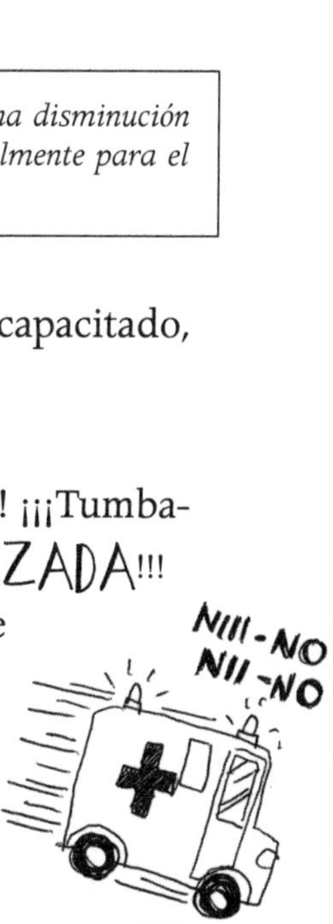

NIII-NO
NII-NO

Enseguida lo reconocí. Por el olor.

Es un lugar al que he tenido que venir a menudo, también de pequeño.

Luego oí el ruido de las maquinitas, todos esos aparatos electrónicos que te controlan el latido del corazón, etcétera, etcétera.

Solo que no recordaba haber venido aquí.

¿QUÉ HABÍA PASADO?

Ese día (hace **10** días **10**) llovía a cántaros y yo estaba saliendo de casa para ir a natación (mamá me esperaba delante del garaje con el coche en marcha) cuando en la acera del otro lado de la calle entreví a Sara.

Digo ENTREVÍ porque llovía muchísimo y yo apenas me podía mover entre la muleta y el paraguas. Llevaba un impermeable rojo con la capucha puesta. Pero, aunque llevara la capucha, estaba seguro de que era ella.

¿Qué hacía cerca de mi casa?

Noté como una especie de llamarada en la cara y un montón de preguntas en el cerebro.

Por un momento pensé que podría ser ella realmente la misteriosa dibujante de Dragon Boy.

Tal vez tuviera miedo de que el cómic se estropeara en el agujero del muro a causa de la lluvia y, a lo mejor, me lo quería dejar en el buzón de las cartas.

¿O estaba allí solo por casualidad? ¿Como el Gigante que trabajaba en la papelería?

No sé si me vio o no. Solo sé que yo traté de reunirme con ella, decidido a enterarme de la VERDAD de una vez por todas.

La acera estaba superresbalosa, llena de agua y de gente corriendo y, en resumidas cuentas, no sé muy bien cómo acabé por los aires. Me estaba cayendo, pero era como si lo hiciera a cámara lenta.

Vi que llegaba una bici, pero no podía hacer nada para evitarla. ¡Y me la llevé por delante! ¡¡¡¡¡PAAAM!!!!!

Conclusión de la aventura: acabé en el suelo con un dolor horroroso y el tipo de la bici que no paraba de decir a todo el mundo: «¡No lo he visto! ¡No lo he visto! ¡Ha aparecido de improviso!».

Recuerdo que pensé que tal vez me hubiera vuelto INVISIBLE de verdad, y por eso no me había visto.

Luego se hizo de noche, aunque solo eran las cuatro de la tarde.

Cuando me desperté, estaba en el hospital. Junto a la cama, en lugar de mamá o papá, me encontré al doctor Turri.

–Hecho –dijo.

Sonreía, con todas las arrugas de la cara.

–Hecho, ¿el qué?

Entonces apareció mamá.

–¡Mi niño! –gritó como hacen las madres en esas situaciones.

Turri sonrió y a mí me dio un poco de vergüenza.

–Te caíste –dijo después de llenarme de besos–. Tuviste un accidente y te rompiste la pierna.

Miré abajo. La pierna derecha, la torcida, estaba llena de hierros, de un lado a otro, como en esos números de magia en donde los magos atraviesan a sus ayudantes con espadas.

Me dio un ATAQUE y empecé a moverme.

–¡Calma, calma! –dijo el doctor Turri–. Está todo bien.

–¡PERO ESOS HIERROS! –grité–. ¿POR QUÉ NO ME LOS QUITAN? ¡¡¡QUÉ VA A IR TODO BIEN!!!

El doctor Turri se rio, aunque yo no le veía la gracia por ningún sitio. El doctor Turri se ríe demasiado para ser un doctor, creo yo. Y, además, ¡¡¡me habría gustado verle a él con todas esas espadas saliéndole de la pierna!!!

–Se llama FIJADOR EXTERNO y tendrás que tenerlo durante un mes más o menos –dijo.

Y poco a poco me lo fue explicando todo. El fijador externo es un sistema para ajustar los huesos rotos. Solo que da impresión verlo, porque tiene esos hierros que parecen flechas sin punta lanzadas por un indio tecnológico.

Como me había roto la pierna y tenían que operarme para colocármela en su sitio, mi familia y el doctor Turri decidieron que, ya que me tenían que operar, podían aprovechar para hacer la OTRA operación, la necesaria para ponerme la pierna recta. O sea, hacer dos operaciones juntas.

–Como en el supermercado –bromeó papá–. ¡Dos por el precio de una!

Todos tenían ganas de reírse y de bromear.

¡Todos menos yo!

Entonces, traté de hacerme una idea de cuánto dolor sentía, porque sabía que la OTRA operación era MUUUUUUY dolorosa.

Pero, aunque me esforzaba por notar el dolor, en realidad sentía solo UN POQUITO, nada importante, nada que no pudiera soportar.

Mamá me explicó que me estaban dando analgésicos, medicinas que hacen que te duela menos.

Había tenido un miedo terrible a aquella operación y ahora descubría que me la habían hecho casi sin darme cuenta.

Papá me dijo que la tía Ester, una vez, también se rompió la pierna. Pero a ella solo le pusieron una escayola.

El segundo día de hospital vino a verme mi hermana Carolina (pero sin Pablo, porque dijo que los hospitales son los mejores sitios para pillar una enfermedad).

Luego vinieron varios de mis compañeros: Marietto (obligado por su madre), Sara, la Conte, Nerini, Paolini y Labranca (Ronchese no, él es DEMASIADO DURO, y tampoco Serracchiani, porque hace siempre lo mismo que Ronchese). Paolini y Labranca consiguieron enfadar a las enfermeras con sus chorradas. Con ellos venía la profesora Ferri, que me dijo:

–No te preocupes por el papel, Stanghelli.

(¡Realmente, el papel era la última de mis preocupaciones!).

–Encontraremos un sustituto.

Había solucionado el problema del musical, ¡y sin necesidad de inventar un dolor de tripa!

Cuando vino Domi por fin, le enseñé la pulsera que llevaba en la muñeca. Una de las enfermeras me la había quitado al quedarme inconsciente, pero yo hice que me la devolvieran INMEDIATAMENTE.

–Lo siento por el musical –dijo.

Y yo simulé que lo sentía también.

–Por desgracia, no podré participar... –murmuré poniendo cara de tristeza–. La profe me dijo que buscará un sustituto para que ocupe mi lugar. A lo mejor Chiari, que sabe bailar BREAK DANCE y parece realmente un robot.

Pero por dentro estaba feliz a tope.

Y luego llegaron los abuelos.

Eso sí que no me lo esperaba.

La abuela Paola entró la primera y vino corriendo a abrazarme.

—¿Cómo estás? —me preguntó.

—Bien, abuela.

—Eres un chico valiente.

El abuelo Alfio se quedó en la puerta.

—Hola, abuelo —dije levantando un brazo.

Él se acercó con calma y puso una mano en el borde de la cama. Se quedó un rato mirándome y, por fin, dijo:

—¿Qué tal te va, colega?

Parecía la escena de mi sueño con Dragon Boy.

—¡BIEN, COLEGA! —respondí.

Y él se puso a reír.

CUANDO ESTABA EN EL HOSPITAL, le pedí a Domi que me hiciera un favor.

—¿Puedes ir a ver si hay una cosa para mí en un sitio?

—¿Una cosa para ti? ¿En dónde?

Le hablé del agujero de la pared. Estaba seguro, más que seguro, de que habría un nuevo cómic, esperándome.

Así que fue.

—No había nada —me dijo cuando volvió.

Yo me quedé mal, porque había calculado que desde la última historia de Dragon Boy habían pasado muchísimos días, como quince o más.

—¿Estás segura? —pregunté.

Y ella:

—O sea, había un papel, pero lo he tirado.

—¿Qué? ¿Que lo has tirado?

—¡Estaba empapado por la lluvia!

Juro que, aunque Domi sea la hermana mejor del mundo, en ese momento la habría ¡¡¡¡¡ESTRANGULADO!!!!!

Luego, viendo que me estaba poniendo muy nervioso y una enfermera venía ya con una jeringuilla para tranquilizarme, Domi sonrió y sacó del bolso una hoja enrollada.

—¡Estaba bromeando! Aquí lo tienes.

¡En el agujero de la pared estaba esto!

Cogí el cómic como un muerto de sed cogería en el desierto una botella de agua, y lo abrí.

Pero esta vez no era un cómic, aunque sí era de Dragon Boy.

Era una hoja solo.

Esta.

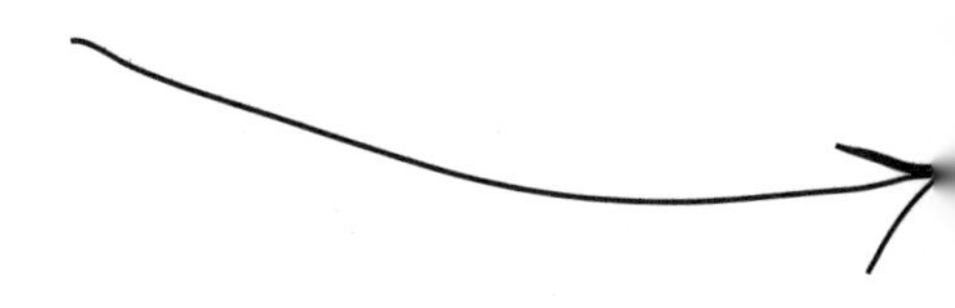

AHORA YA ESTOY EN CASA. Por fin.

El doctor Turri dijo que tenía que estar en la cama o en el sofá una semana más. Luego podré empezar a caminar (con la muleta, por lo menos los primeros meses) y a hacer la MALDITA rehabilitación.

Mis padres hablaron con los profesores porque tenían miedo de que pudiera perder el curso. Pero los profes dijeron que las ausencias no superarían el mes y que no habría problemas.

Domi se queda unos cuantos días más. Dice que quiere hacerme compañía. Yo le he preguntado si sigue triste por la ruptura con su chico.

Me ha sonreído y ha respondido que piensa mucho menos en él. Que el tiempo lo cura todo. También mi pierna. Y, además, ¡conserva mi corazón de madera!

Estos días hacemos megapartidas de Monopoly, de cartas y de Scrabble. Vemos pelis y escuchamos sus viejos discos.

¡El otro día me llevó a un concierto de Jovanotti! Nunca había estado en el estadio y aquel mar de gente que cantaba unida y levantaba las manos en alto en medio de la oscuridad fue un espectáculo increíble.

No pudimos estar en el césped, donde bailaba la gente, por mi pierna, pero desde la tribuna se veía todo genial.

Jovanotti saltaba y corría como un loco de una parte a otra del escenario y salía siempre con unos trajes de colores muy extraños. Al final del concierto, apareció con una capa roja brillante con una flecha azul dibujada en la espalda, ¡casi parecía Dragon Boy!

Fue una noche mágica y, viendo cómo Domi reía y saltaba, no creo que pensara mucho en su chico en toda la velada.

Esta tarde Domi y yo hemos hojeado los álbumes de fotos. El mío también, el de la cubierta azul.

Domi me ha dicho que ella estaba siempre en esas fotos, aunque no se la vea, porque las sacaban con ella cerca.

–Aquí, por ejemplo –ha sonreído señalando una foto en la que estoy sentado en un columpio–. No se ve, pero te estaba empujando.

Me he inclinado para mirar mejor la imagen, tratando de imaginar la presencia invisible de Domi a mi espalda…, y lo que he visto me ha dejado tan alucinado como un bofetón de las manos del Gigante.

He cogido la lupa del escritorio (a veces la uso para encender un trozo de papel empleando los rayos del sol) y, como Sherlock Holmes, la he puesto sobre la foto.

¡ERA CIERTO!

–¡MAMÁ! –he chillado.

Domi me miraba perpleja.

–¿Qué pasa?

–¿Qué quieres? –ha preguntado mamá asomando la cabeza.

–Mira esto –le he dicho–. ¿Todavía la tienes?

Ella ha mirado atentamente, también con mi lupa. Luego ha respondido:

–No sé. A lo mejor con las cosas viejas... ¿Por qué?

–¡Es importante! ¡Importantísimo!

–Vale. Voy a ver. Domi, ¿me echas una mano?

Han vuelto después de un buen rato. Mientras, ¡yo había pensado 10.000 posibilidades distintas y mi cabeza humeaba como un volcán!

VOLCÁN

Traían una caja.

Mamá la ha puesto sobre el escritorio y ha sacado jerséis viejos, pijamas de verano con estampados de perritos, gatitos y conejitos, gorritas con visera...

Y, por fin, ha aparecido lo que buscaba.

–¡Aquí está! –ha dicho, enseñándomela.

Me he quedado quieto mirándola durante ¡1 hora 1!

Domi y mamá me hacían preguntas, me hablaban, y probablemente habrían llamado ya al hospital pensando que se me había estropeado el implante coclear o el cerebro entero.

Pero yo no las oía.

De pronto todo estaba claro.

Me he levantado y, apoyándome en la muleta, me he arrastrado hasta la librería. He cogido los cómics de Dragon Boy, todos, los he mirado uno por uno, y era como si los viera por primera vez, como si los leyera con otros ojos.

Y seguía sin saber quién dibujaba aquellas historias tan fantásticas.

Pero SABÍA quién era Dragon Boy.

–DOMI, ¿PUEDES HACERME UN FAVOR?

–Claro, dime.

–¿Podrías meter esto en el hueco de la pared?

–¿Qué es?

Tenía en la mano un paquete envuelto con el papel de regalo de Navidad, cerrado con cinta adhesiva blanca.

–¿Puedes llevarlo?

–Por supuesto que puedo.

He cogido un papel del escritorio y he escrito estas palabras encima:

Querido amigo:

Lo he entendido. Gracias por todo.
Seas quien seas.

Dragon Boy

Sara ha venido a verme esta tarde y me ha anunciado que la representación se celebrará dentro de dos semanas.

Cuando se ha enterado de que dentro de poco me quitarán el fijador externo y podré caminar, me ha dicho:

–¿Por qué no retomas tu papel en el musical? ¿Por qué no te encargas tú del hombre de hojalata? –brincaba y aplaudía como una niña pequeña.

–No puedo, no puedo –le he dicho sin dejarla ni terminar–. No puedo.

–Sí que puedes. El papel te lo sabes bien, mucho mejor que Chiari, que aparte de bailar *break dance* ¡no sabe hacer nada más!

–No, no puedo –he repetido–. De verdad, no puedo.

Pero, al pensarlo de nuevo…

¿Qué haría Dragon Boy?

Es fácil de responder.

Él seguiría adelante, siempre y de todos modos.

Él participaría en el espectáculo sin importarle nada ni nadie.

Él seguiría.

Él no mentiría.

ÉL.

YO.

AL FINAL FUI. LO HICE.

El musical, me refiero.

Una semana antes de la representación, me presenté en el colegio y se lo dije a la profesora Ferri.

–Profesora, quiero mi papel. Quiero hacer el musical.

Aparentemente no había cambiado nada, en el sentido de que seguía sin separarme de mi fiel muleta (y sé que voy a tener que usarla todavía durante mucho tiempo, «pero no siempre», dijo el doctor Turri). Pero, dentro de mí, sí que había algo que había cambiado.

Ella se puso tope contenta.

–¡Fantástico! –exclamó.

Y Chiari también estaba contento.

–Gracias –me dijo–. ¡Me has quitado un peso de encima!

Pero nunca hubiera imaginado que el espectáculo se fuera a transformar en...

¡En ALGO que todavía no he comprendido!

Es difícil de explicar.

Sé solo que, aunque no fue exactamente como debía, ¡tuvo un ÉXITO EXTRAORDINARIO! ¡¡¡APLAUSOS, APLAUSOS y más APLAUSOS!!!

PLAS PLAS PLAS

Pero vayamos por orden.

Primero la profe nos puso a todos en círculo en el escenario, con el telón todavía bajado. Teníamos las manos unidas y ¡pegamos un grito que debió de llegar hasta la calle! También dijimos una palabrota (mierda), que es algo que se suele hacer en el mundo del espectáculo (por lo menos, eso dijo la profe y oír a la profe diciendo esas cosas es raro pero también ¡¡muy DIVERTIDO!!).

Luego se apagaron las luces en la sala y reinó el silencio.

Yo tenía el corazón a 1.000. Sara me apretó la mano y me sonrió con sus dientes medio torcidos.

Llevaba las trenzas y el vestido a cuadritos de Dorothy. Ella, Nerini y Tosetti (que representaban a los tíos de Dorothy) se colocaron en el escenario y, a una señal de la profe, se abrió el telón.

PLAS

PLAS

Desde las butacas en pendiente del auditorio, el público empezó a aplaudir clamorosamente.

Para conseguir el efecto del ciclón, la profesora Ferri había puesto una filmación al fondo del escenario, así parecía verdaderamente que la casa de Dorothy salía volando, y un ventilador enorme que lo movía todo. En vez del perro real, Totó, ¡Sara llevaba un peluche en brazos!

En resumen, que también nosotros teníamos nuestros **¡EFECTOS ESPECIALES!**

La casa se derrumbó sobre la **Bruja Mala del Este** dejándola tiesa y Dorothy le quitó los zapatitos de plata (unos zapatos de tacón de la madre de Sara). Entonces comenzó a caminar por el sendero de baldosas amarillas para encontrarse con el poderoso mago de Oz y pedirle regresar a casa de sus tíos. Todo prosiguió como debía hasta el encuentro con el leñador. En ese instante entré yo en escena.

El traje me iba de maravilla, pero debajo yo estaba nervioso y emocionado.

Sobre todo, tenía miedo de olvidarme de alguna palabra o de caerme. De todas formas, la profesora Ferri (vestida de Glinda, la Bruja Buena del Sur, con una peluca rojísima y un tutú de ballet) estaba preparada para apuntarme el texto.

En la sala estaban Domi, mis padres, Carolina (que había dejado a Pablo con Giorgio, el pintor) y los abuelos.
Sí, ¡ellos también!

El abuelo Alfio me dio incluso unos consejos.

—¡No sabía que habías hecho de actor! —le dije sorprendido.

—Nunca he hecho de actor —respondió—. Pero ¡vi la película!

Entré en escena como si me hubieran DISPARADO y dije lo que debía sin olvidarme de nada. Luego nos fuimos por el sendero de baldosas amarillas para ir a la Ciudad Esmeralda y yo canté la cancioncita de la película. Me sentí ridículo, pero, como estaba concentrado, seguí sin problemas.

Nos encontramos con Marietto, el león, que estaba ya sudando, bajo todas aquellas pieles.

Marietto se equivocó unas cuantas veces, pero nadie se dio cuenta y a mí me empezaron a entrar ganas de reír.

Cuando llegamos a la Ciudad Esmeralda (que era otro fondo precioso preparado por la profe), la Conte se hizo la dueña del escenario, en el sentido de que declamó su papel como nunca lo había hecho en los ensayos.

Es buenísima. Creo que de mayor puede ser actriz.

Desde la Ciudad Esmeralda, el mago de Oz nos mandó a matar a la Bruja Malvada del Oeste (o sea, la Pandolfi, que llevaba dibujado en la frente un ojo grande y se parecía más a Polifemo), que para defenderse convocó a los monos voladores. Cuando Paolini, Ronchese y Serracchiani entraron en escena pegando esos grititos de mono, el público estalló en carcajadas y comenzó a aplaudir.

Luego nos peleamos con los monos voladores.

Y ENTONCES OCURRIÓ LA TRAGEDIA

Con la emoción, me apoyé mal en la muleta reconvertida en hacha y me fui al suelo. El embudo que llevaba en la cabeza (el que me había hecho papá) se aplastó como un buñuelo y yo no conseguí volver a levantarme.

Sara vino corriendo y tiró de mí hacia arriba.

No se oía ni una mosca. Nadie se rio, reinaba un silencio absoluto. De repente sonó un aplauso.

Pero, en mi interior, algo había cambiado. Otra vez, pero a peor.

Como una grieta, un CRAC. Y no estoy hablando de la pierna o de otro hueso. Me refiero a algo en la cabeza o en el corazón o en la tripa, no sé.

Me equivoqué unas cuantas veces y las frases de los otros parecían fuera de contexto.

La profesora trató de decirme algo, pero yo estaba sudando y solo conseguía concentrarme en que el maquillaje se estaba deshaciendo bajo las gotas que caían por mi frente.

Me faltaba el aire y deseaba salir corriendo del escenario. Ni Marietto, que se tuvo que quitar la cabeza de león porque se estaba sofocando, logró distraerme.

Lo sabía, empecé a repetirme. Sabía que iba a terminar así. ¡MALDICIÓN!

En el auditorio se hizo un silencio sepulcral. Era como si el público se hubiera quedado congelado y el hielo me enfrió al momento todo el sudor.

Traté de continuar, pero me hallaba fuera de control. Farfullaba frases que no tenían nada que ver con el punto en el que estábamos. Y mis compañeros no sabían qué responder ante aquellas frases insulsas.

Alguien se empezó a reír. Puede que pensaran que se trataba de un musical cómico.

¡JA! ¡JA!

Ansiaba que el auditorio ardiera en llamas o fuera sacudido por un terremoto o apareciera una banda de ladrones de teatros o una astronave alienígena, pero no parecía que nada pudiera apartar la atención de mí y de mi desastrosa interpretación.

¡JI! ¡JI!

Qué horrible efecto debía hacer, quieto en medio del escenario con la mirada perdida en el vacío, apoyado en una muleta que se veía que era una muleta y no un hacha, con el maquillaje corrido y el embudo aplastado sobre la cabeza.

Estaba claro, todos pensarían que era lo que siempre había sido, un perfecto PRINGADO.

¿Dragon Boy? ¡Ja! ¡Me muero de la risa!

Luego, se me resbaló la muleta (tenía las manos empapadas de sudor). Esa vez no me caí, pero la muleta terminó abajo del escenario, en la primera fila.

Se oyó un ruido metálico, que resonó en la sala como si fuera un edificio que se viene abajo.

De pronto, entre el público, se levantó alguien de la primera fila. Salió de la penumbra para dirigirse a la luz de los focos. Recogió la muleta y se subió al escenario para dármela.

Era Daniele, el rubito de la I B.

Me dio la muleta y yo balbucí un «gracias» entre dientes.

Entonces el ventilador que estaba detrás, el que habíamos empleado para fingir el tornado, se puso en marcha. No sé cómo, pero empezó a girar de nuevo.

Daniele llevaba una camisa abierta, que con el aire del ventilador se hinchó y empezó a ondear como si fuera una capa.

Vi que debajo de la camisa llevaba una camiseta…

¡LA CAMISETA DE DRAGON BOY!

La que mamá había sacado de la caja.

La que tenía dibujados un dragón y una D.

¡La que YO había envuelto y Domi había llevado al hueco del muro!

¡MI CAMISETA DE CUANDO TENÍA 4 AÑOS!

Y si la tenía él, entonces eso significaba

1 cosa y solo 1: ¡¡que él y nadie más que él era el dibujante de Dragon Boy!!

Daniele, el rubito de la I B. ¿Quién lo hubiera dicho?

–Venga, héroe –me susurró–. Demuéstrales quién eres.

¿Héroe?

¿YO?

Aunque supiera ya que Dragon Boy en cierta manera era yo, aunque supiera que era Daniele quien lo dibujaba (¡acababa de descubrirlo!), todavía no sabía por qué en los cómics me transformaba en un superhéroe.

¡YO NO soy un SUPERHÉROE!

–¿Te acuerdas del trenecito rojo? –dijo.

Lo miré sin comprender.

–Un día me salvaste –continuó él, como si no estuviéramos en medio de un escenario, delante de 300 personas, como si solo estuviéramos nosotros dos, en un cuarto cerrado, y nadie pudiera oírnos–. Me salvaste, igual que un superhéroe.

¿¿¿YO un SUPERHÉROE???

–Soy tu amigo –añadió–. Nunca me atreví a decírtelo. Pero ahora me atrevo, he reunido el valor.

VALOR, pensé. Al final, siempre se trata de un asunto de VALOR.

El público había enmudecido. O sea, que estaba INTERESADO en lo que estaba sucediendo. Creía que formaba parte del espectáculo, aunque no lo comprendiera del todo.

Solo yo lo comprendía. Bueno, Daniele y yo, porque solo nosotros dos sabíamos de la existencia de Dragon Boy.

El musical no tenía nada que ver.

Miré a Sara, que lo había oído todo.

–Yo también soy tu amiga –dijo.

La profesora Ferri estaba de piedra. Una estatua. Sus ojos miraban en todas direcciones tratando de comprender desesperadamente lo que estaba ocurriendo. Y los otros compañeros, en el escenario, también estaban desorientados y se miraban unos a otros.

–Yo soy Deborah –dijo de pronto Sara con una voz fuerte y límpida, de gran actriz.

–¿Pero no eras Dorothy? –gritó alguien desde el patio de butacas.

Y ella, sin hacer caso:

–Soy yo la que te escribe en el chat. La foto del perfil es de mi prima Beth, que vive en Inglaterra. Empleé la suya porque es muy guapa, a mí no me respondería nadie... Por eso estaba cerca de tu casa el día del accidente, quería decirte la verdad.

Yo la escuchaba como en un sueño. No me parecía posible que aquella escena estuviera sucediendo de verdad.

¿Dónde había ido a parar nuestra representación?

¡PLAS!

¡PLAS!

¡PLAS!

–Pero luego no me atreví –continuó Sara–. Lo intenté también cuando viniste a mi casa y también en la fiesta de Marietto, pero siempre me faltaba el valor. Perdóname...

Me tomó de la mano.

De repente, el público estalló en un superaplauso. Cuando este terminó, le tocó a Marietto.

—Como veo que estáis sacando todas estas cosas a la luz —empezó— y yo, como león, tendría que saber algo del tema VALOR... —hizo una pausa—. Pues quiero decirte que yo también siento lo que dije en mi fiesta. No lo pensaba de verdad. No es cierto que seas un pringado, Max. Perdona.

Era raro oírle decir una cosa así de seria, disfrazado de león.

—Somos amigos desde hace mucho —añadió—, pero no me porté como un amigo.

La Conte dio unos pasos hacia delante y se puso en el centro del escenario.

—Es cierto —dijo—. Hay que tener valor para decir la verdad —y por el tono que ponía parecía una profesora armando bronca. O ¡el auténtico mago de Oz!—. Yo sé que no caigo bien a nadie porque voy bien en el colegio. Pero no es mi culpa si me gusta estudiar. Me gustaría ser más simpática, pero creo que todos me odian…

La voz empezó a temblarle. Y yo que creía que la Conte estaba hecha de hierro, que se sentía superior a todos los demás…

—No es cierto que todos te odien —dijo Sara tomándola también de la mano—. Yo no te odio.

—NI YO —dije.

—Yo tampoco —añadió Marietto—. Pero en el próximo examen, ¡pásanos las soluciones! ¿Entendido? Si no…

¡JA! ¡JA!

¡JI! ¡JI!

El público se rio de lo lindo y hasta la Conte esbozó una media sonrisa.

Labranca, perdiendo paja que el ventilador dispersaba aquí y allá, se aproximó a nosotros con su pinta de palo de escoba.

—Yo parezco un poste de la luz —dijo— y no me gusta. Por eso, para que no me tomen el pelo, a veces digo cosas que no pienso, pero es solo por hacer gracia a los demás. O eso creo…

—Yo espero que no me cateen —dijo Nerini, que hacía el papel de Henry, el tío de Dorothy—. A mis padres no les gustaría.

Y miró hacia el patio de butacas, donde probablemente estaban ellos. Maquillado como un viejo, no parecía nada verosímil. O sea, ¡un viejo que tiene miedo de que le suspendan! ¿Lo habéis visto alguna vez?

Alguien del público le gritó:

—¡PUES ESTUDIA!

Hubo otro aplauso y alguna carcajada divertida.

Mientras, yo me preguntaba qué demonios ocurría. ¿Por qué mis compañeros soltaban todas aquellas cosas? ¿Lo hacían para ayudarme? Miré a Daniele buscando una explicación, todavía incrédulo porque todo hubiera partido de él.

La Biffi, que interpretaba a una munchkin, dijo:

—Yo tengo miedo de engordar. Por eso como poco, aunque siempre tenga hambre.

Habría querido decirle que YA está gorda, pero no me parecía oportuno.

Luego llegó el turno de Ronchese, que dio un paso adelante, con aquel ridículo traje de mono y su cara redonda, y a mí me parecía imposible que Ronchese se estuviera adelantando para decir algo ¡propio de un ***HUMANO***! Se hizo un silencio profundo, como de espera.

–Yo tengo valor –dijo con expresión retadora–. Y no me da miedo nada.

–No es cierto –replicó Sara–. Tú tienes miedo, como todos. Solo que no tienes el valor de admitirlo. ¡Eres un cobarde!

–¡No es cierto! –dijo él.

–Pues sí que lo es –respondió Sara, como si casi no le importara–. Se necesita valor para decir que tienes miedo.

Entonces, Serracchiani, también mono volador, se acercó a Ronchese y dijo:

–Yo tengo miedo –luego miró abajo, a la oscuridad de la sala, porque también él tenía entre el público a alguien a quien quería–. Tengo miedo de que mis padres no estén ya juntos.

–En cambio, yo –añadió Trabucci– no tengo valor para ver solo una peli de terror, pero simulo que las he visto y miro los argumentos en Wikipedia, así si me preguntan de qué tratan parece que las haya visto.

–Yo –intervino la Gracchi con una cara tristísima– tengo miedo de que mi abuela se muera, porque ya es muy mayor.

En resumen, uno detrás de otro, todos sacamos lo que teníamos dentro y nunca habíamos reconocido ante los demás.

Al final, la profe entró en escena, nos colocó en fila y de la mano, y dijimos todos juntos: *Uno es valiente cuando, sabiendo que la batalla está perdida de antemano, lo intenta a pesar de todo y lucha hasta el final pase lo que pase.*

Juro que nos dieron un aplauso tan largo que no terminaba nunca y tan fuerte que parecía que se hubiera venido abajo el techo del Auditórium.

LA REPRESENTACIÓN TERMINÓ.

Cuando el aplauso se apagó, la profesora Ferri hizo una señal a Gino, el bedel, y él tiró de las cuerdas que cerraban el telón.

Detrás, la profe nos puso en círculo, como al principio.

–No sé lo que ha ocurrido –nos dijo con lágrimas de alegría en los ojos–. Pero ha sido sencillamente

¡¡¡FAN-TÁS-TI-CO!!!

Unimos las manos como los mosqueteros del rey y ¡soltamos un grito tremendo! Luego nos aplaudimos a nosotros mismos.

Sara se acercó a mí y me abrazó y yo la dejé a pesar de que los otros nos miraban, y cuando se separó me dio un beso en la mejilla.

Luego hubo una pequeña fiesta, en el mismo escenario, con bebidas, pizzas, patatas (todo comprado por la profesora Ferri) y bocatas de beicon (que trajo la madre de Marietto). La fiesta era para todos, actores y espectadores.

La profe estaba rodeada por todo el mundo: la gente le apretaba las manos, le decía lo bien que había hecho eligiendo un espectáculo tan nuevo, tan original, transgresor, intimista, psicológico y ¡no sé cuántas cosas más!

Ella, roja de la emoción, respondía que era todo mérito de sus chicos, que eran EXCEPCIONALES. Eso decía.

Yo recibí las felicitaciones de mis padres y de Domitilla. Pero, sobre todo, de Carolina, que vino hacia mí con una mirada diferente. Parecía avergonzada, cohibida. Comprendí que quería abrazarme, pero no lograba dar el primer paso. Así que la abracé yo y ella me estrechó con fuerza, como nunca lo había hecho. Cuando nos separamos, mamá era un manantial de lágrimas. Pero, mientras lloraba, se reía.

También papá y el abuelo Alfio sonreían emocionados y, cuando le llegó el turno de felicitarme, papá me dijo bien fuerte para que todos lo escucharan:

–¡Estoy realmente orgulloso de mi chico!

Domi me abrazó por detrás como hacía cuando yo era más pequeño y me hizo girar como una peonza. Cuando me soltó, los dos parecíamos borrachos.

Después de un rato, me fui a comerme un bocata (de beicon) y mientras masticaba, en medio de todo aquel caos de gente, busqué a una persona con la mirada.

Una sola.

–Hola, Daniele –le dije cuando por fin lo vi.

Estaba en un rincón, solo, mirando a los espectadores que felicitaban a los actores. Llevaba aquella ridícula camiseta (¿cómo habría logrado ponérsela?).

–¿Todavía tienes el tren? –le pregunté.

Él sonrió, una sonrisa de esas que te muestra todo lo que hay detrás.

–Claro –respondió–. ¡No lo tiraría por nada del mundo!

–Lo recuerdo. Era tu juguete preferido –afirmé. Nos estábamos comiendo un bocadillo juntos, como dos viejos amigos–. Pero no me acuerdo exactamente de qué pasó –proseguí.

–Estábamos en infantil, tú y yo, en la misma clase… Y estaba también aquel imbécil, el que siempre nos jorobaba los juegos a todos, uno muy prepotente. Un día cogió mi trenecito rojo y pretendía tirarlo por la ventana. Yo me puse a llorar. Pero llegaste tú, llevabas esta camiseta –dijo señalándose a sí mismo–. Y como si nada, le quitaste el tren de las manos.

–¿De verdad? –me parecía imposible haber hecho eso–. ¿Y luego?

–Luego me lo diste de nuevo. ¡Como si fuese la cosa más fácil del mundo!

–¿Y por eso inventaste a Dragon Boy? Pero ¿cómo se te ocurrió darme superpoderes? Alguien como yo, con superpoderes…

–¡Todos tenemos superpoderes!

Sonreí y, por primera vez desde que llevo el aparato, no me preocupé por si tenía trozos de pan entre los dientes.

–¿Sabes que también lo dijo Jovanotti? –solté.

–¿Jovanotti?

–Sí. Fui a su concierto, la semana pasada, con mi hermana. Al final se puso una capa y dijo que hay un montón de superpoderes. La amistad es un superpoder, la inteligencia es un superpoder, la imaginación es un superpoder, la diversidad es un superpoder… Nosotros somos el superpoder, en resumen.

—Es justo lo que yo quería decir —luego, tras una larga pausa, añadió—: Nunca te he dado las gracias.

—Te equivocas —respondí yo—. Lo has hecho.

Con Daniele ahora somos amigos. Auténticos amigos.

O quizá, sin saberlo, lo hemos sido siempre.

Me ha dicho que el dibujo es su gran pasión y que se pasa todo el día dibujando, donde sea. De hecho, el cómic que encontré en la sala de profesores, en la papelera, se lo quitó el profesor de lengua tras haberlo descubierto dibujando durante su clase.

Ese mismo día, en el patio, cuando Daniele vio que era yo quien tenía el cómic, pensó que se trataba de una increíble coincidencia y se le ocurrió la idea de hacer más. Y hacérmelos llegar.

Cada vez que ocurría algo que tenía que ver conmigo, Daniele volvía a su casa y trataba de transformarlo en un cómic de Dragon Boy.

Cuando las cucarachas invadieron el colegio, por ejemplo, o cuando los maltratadores se escaparon del bar sin pagar y yo tuve que vérmelas con el hombre con cara de *bulldog,* Daniele lo vio todo y pensó que yo había sido VALIENTE.

O en la fiesta de Marietto… Tener que decir delante de todos que la Conte y yo no nos habíamos besado me había parecido algo de auténtico pringado, pero para Daniele el hecho de que yo interviniera para salvar a una chica de los compañeros que le tomaban el pelo fue algo de ¡superhéroe VALIENTE!

Él quería que yo lo comprendiera, aunque no tenía el suficiente VALOR para ser mi amigo delante de los demás. Por eso nunca respondió a mis mensajes…

Y luego me ha explicado que lo del lugar secreto, el hueco en la pared, fue una casualidad. Un día se fijó en que yo pasaba por allí para regresar a casa y le pareció buena idea meter dentro los cómics, una vez que hubo señalado el escondite con una inconfundible D.

O sea, Daniele ha demostrado ser un chico de primera.

Y, sobre todo, un auténtico amigo.

PAPÁ PUBLICÓ SU ARTÍCULO de los ecofraudes y desencadenó una auténtica polvareda. O sería mejor decir un tornado, ¡como el del mago de Oz!

Gracias a su artículo, *La Opinión* vendió un montón de ejemplares, y la policía abrió una investigación que llevó al arresto de algunas personas importantes.

A papá hasta le dieron un premio de periodismo y la noche de la entrega, en un bonito hotel de la ciudad, estaba también el abuelo Alfio, sentado en primera fila, con una cara que parecía que él hubiera ganado el premio. Al final fue a estrechar la mano de papá y le dijo lo mismo que papá me dijo a mí después del musical. Y papá lo abrazó.

Por lo que a mí respecta, el curso está a punto de terminar y en septiembre pasaré a segundo.

Ahora las cosas son mucho más soportables.

Cuando por la mañana bajo del 12, en las escaleras del colegio siempre hay alguien que me saluda (**el musical me hizo muy popular**).

Ayer, en las escaleras, estaba Sara esperándome. Al verme, sonrió, mostrándome ¡un aparato de dientes nuevo!

–¿Qué te parece? –me preguntó.

–¡Es más bonito que el mío! –le respondí.

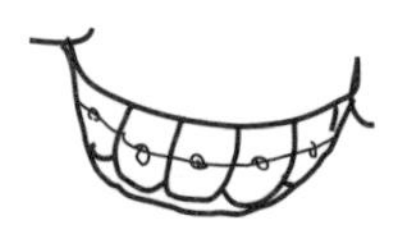

Hoy, en el recreo, Daniele me ha propuesto que escribamos un nuevo cómic de Dragon Boy. Es decir, él y yo, ¡JUNTOS!

–¿Tú y yo?

–Tú y yo –respondió–. Tú escribes, yo dibujo.

DRAGONBOY

EL RETO MÁS DURO

TEXTOS: MAX – DIBUJOS: DANIELE

NUEVA SERIE

¡NUNCA ME HE ENCONTRADO EN UNA SITUACIÓN TAN DIFÍCIL!

SIENTO QUE ME MACHACAN Y NO CONSIGO REACCIONAR.

¡Empezamos bien!

ESTA CRIATURA COLOSAL ME HA ATRAPADO.

PARECE QUITARME TODOS LOS SUPERPODERES, LA MENTE NO ME REACCIONA.

Pero este monstruo es ¡MONSTRUOSÍSIMO!

HE PERDIDO MI LANZALLAMAS Y TENGO EL CORAZÓN HECHO TRIZAS.

Y COMIENZO A TENER MIEDO.

ESTA VEZ ESTOY PERDIDO.

¡Esto ya lo he oído! VALE YA.

PERO LLEGA UNA AYUDA INESPERADA.
¡DRAGON BOY! ¡ESTOY AQUÍ PARA AYUDARTE!
¡CONOZCO A ESE MONSTRUO!
¡RÁPIDO, DAME LA MANO!
¡Venga, dásela!
¡Te has dibujado más feo! Je, je...
¡DRAGON BOY!
¡MAX!
¡DESPIERTA, DRAGON BOY!
¿?
¡SE ME PARECE UN MONTÓN!
¡VEN, DRAGON BOY!
CLAP
¡VOY A LIBERARTE!
¡UFF, NO ME SUELTA!
UOARGH
DÉJAME AQUÍ. ¡ES IMPOSIBLE!
ME VEO OBLIGADO A DEJARTE SOLO...
... A MENOS QUE...

... A VECES, LA REALIDAD ES MÁS SORPRENDENTE QUE LA FICCIÓN.

Pero ¿se ha acabado, Max? – ¡NO! ¡EMPIEZA AHORA!

En efecto, gracias a este diario, he descubierto que esto es lo que quiero hacer de mayor, ESCRIBIR. Cómics, libros, artículos de periódico, no tiene importancia el qué, pero ESCRIBIR.

ESCRIBIR significa poner en orden las cosas y los pensamientos. Significa también decir cómo son las cosas, la verdad, y no tener miedo de hacerlo. Esto lo he aprendido de papá.

No sé si seré capaz, pero lo importante es intentarlo, ¿no? De otro modo, sin un poco de VALOR, ¿qué héroe sería?

Sé que yo, como Dorothy, el espantapájaros, el leñador de lata y el león, tengo mi sendero de baldosas amarillas que debo recorrer. Y sé que antes o después me llevará a la Ciudad Esmeralda.

Pero ese camino no pueden hacerlo mis padres o mi hermana o Daniele por mí. No puede hacerlo nadie.

Excepto yo.

Debo seguirlo y cuando llegue junto al mago, por verdadero o falso que sea, le pediré obtener lo que quiero.

Siempre que, sin saberlo, ¡no lo tenga ya!

AGRADECIMIENTOS

Gracias a Chiara Fiengo, que ha contribuido en modo determinante a la realización de este libro. Lo ha mejorado sugiriéndome dónde intervenir y me ha animado cuando lo necesitaba. Esta es la labor del editor. La idea del musical final es suya.

Gracias también a Chiara Pullici, que junto con Chiara ha seguido y evaluado cada fase del proyecto.

Gracias a Enrico Macchiavello, que ha dado forma perfecta a los cómics que eran solo ideas vagas.

Gracias a Lorenzo, Jovanotti, que nos ha permitido utilizar una bellísima frase suya, en perfecta sintonía con la idea que mueve toda la historia de Max.

Gracias a Gioia Giunchi, del departamento de diseño de Piemme, y a Sara Migneco, de Noesis, por el increíble trabajo realizado.

Y gracias a Harper Lee, por haber escrito *Matar a un ruiseñor,* uno de los libros más hermosos que he leído nunca y del cual está extraída la frase sobre el valor.

¿Quién es Guido Sgardoli?

Guido de pequeño

Nací en el... hace unos cuantos años, y es inútil ponerse a hacer cuentas ahora. Lo importante es que empecé dibujando cómics, cuando todavía no sabía escribir (ni leer). A los cinco años dibujaba como un niño de diez y era el orgullo de la maestra de la guardería. También a los ocho dibujaba como un niño de diez y seguía siendo todavía el orgullo de la maestra, en este caso de primaria. Luego, me di cuenta de que, aun habiendo superado los diez, seguía dibujando como un niño de diez años y ya no era el orgullo de nadie (salvo de mis padres). Por eso me di a las historias, sin dibujos, hechas solo de palabras. Y me fue decididamente mejor. Hasta la fecha, he publicado cerca de sesenta libros, para todas las edades y para todos los gustos, y todavía no se me han pasado las ganas. Me han dado premios y algunas de mis historias las leen niños que viven en otros países y hablan otras lenguas. Una gran satisfacción para alguien que dibuja como un niño de diez años, ¿no? Como me sobraba un poco de tiempo, paso a paso, me licencié en Veterinaria, que no viene mal. Pero los cómics siguen siendo una de mis grandes pasiones. Y a propósito de cómics, os preguntaréis por qué, si dibujo como alguien de diez años, no hice yo mismo las viñetas de Dragon Boy. Lógico, porque ¡Enrico Macchiavello es mucho, pero mucho mejor que yo!

Guido Sgardoli

P. D. Esta es mi página web: www.guidosgardoli.it

¿Quién es Enrico Macchiavello?

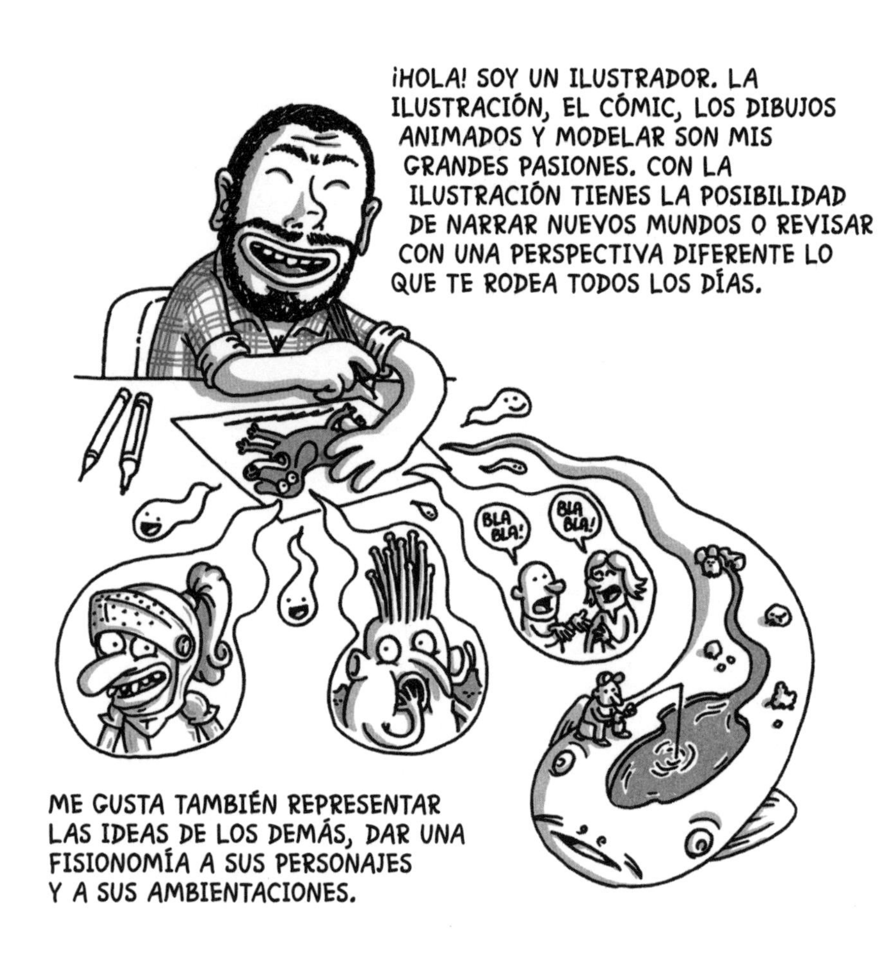

CUANDO TENÍA MÁS O MENOS TU EDAD,

DIBUJABA CONTINUAMENTE, CUALQUIER COSA QUE ME VINIERA A LA MENTE. UN DÍA COMPRENDÍ QUE PODÍA SER UN TRABAJO VERDADERO Y PROPIO.

TAL VEZ Y GRACIAS A ESTA INTUICIÓN, EL LIBRO QUE TIENES ENTRE MANOS ESTÁ ILUSTRADO CON MIS DIBUJOS.

ME HE DIVERTIDO MUCHO REALIZÁNDOLOS Y ESPERO QUE TE HAYAN GUSTADO.

¡HASTA PRONTO!

¡MACCHIAVELLO!

PLUF
BLA
BLA
BLA
DIENTES
DE HIERRO
SCUIT SCUIT